De Wilde Voetbalbende

Joachim Masannek

Marc

de onbedwingbare

met tekeningen van Jan Birck

Uitgeverij Ploegsma Amsterdam

Kijk ook op
www.ploegsma.nl
www.wildevoetbalbende.nl

De Nederlandse
Kinderjury
2009

AVI 8

ISBN 978 90 216 2281 1 / NUR 282/283
Titel oorspronkelijke uitgave: 'Die Wilden Fußballkerle – Markus, der
Unbezwingbare'
Verschenen bij: Baumhaus Buchverlag, Frankfurt am Main 2005
© Baumhaus Verlag GmbH, Frankfurt am Main, Duitsland 2005
Die Wilden Fußballkerle TM Joachim Masannek & Jan Birck
Vertaling: Suzanne Braam
Omslagontwerp: Studio Rietvelt
© Nederlandse uitgave: Uitgeverij Ploegsma bv, Amsterdam 2008
Alle rechten voorbehouden.

Uitgeverij Ploegsma drukt haar boeken op papier met het FSC-
keurmerk. Zo helpen we waardevolle oerbossen te behouden.

*Voor mijn vader en mijn grootvader, die mij in mijn kindertijd
hebben geleerd de wereld met wilde ogen te bekijken.*
J.M.

*Met dank aan Frans van Eck voor zijn voetbaltechnisch advies
bij de vertaling van de hele serie De Wilde Voetbalbende*
S.B.

Inhoud

Wilder dan wij

Alle dampende duivelsdrollen! Het was ons inderdaad gelukt. We waren niet alleen Stadskampioen Zaalvoetbal geworden. Nee, we waren kampioen in de achtste dimensie, zoals Josje het noemt. Dat was de wildste divisie van het hele land. We hadden VV Waterland tweemaal achter elkaar naar de hel gestuurd. We hadden het wildste feest gevierd dat er ooit in het land van de Wilde Bende was gegeven. En een paar weken later dansten we nog steeds met blote voeten op wolken van geluk. Wolken die volgens Josje alleen maar uit broodjes met vissticks bestonden.

Bij de heksenketel aller heksenketels! We voelden ons net zoals na onze eerste beslissende wedstrijd, toen we de Onoverwinnelijke Winnaars overwonnen. Dat weet je toch zeker nog wel? Toen is alles begonnen. Toen werd de Wilde Voetbalbende geboren. Ons sportveldje ging de Duivelspot heten. Ons boomhuis werd Camelot, de onneembare vesting. En wij werden wat we nu zijn: de wildste voetbalploeg die er op de hele wereld bestaat.

Kokende kippenkak! Dat was een prachtige tijd en ik zou je er dagenlang over kunnen vertellen. Ik, Marc de onbedwingbare, de wilde man tussen de palen. Maar zo veel tijd heb ik niet. De wereld draait door, elke dag, elk uur en elke seconde. Het enige wat blijft, is dat alles steeds verandert. Van het hoogtepunt van het kampioenschap in de achtste

dimensie kun je plotseling in de hel storten. En omdat dat zo is, stortten wij in ons grootste avontuur. In een avontuur waarvan je ouders hopen dat je het nooit zult meemaken. En weet je waarom? Het zou een nachtmerrie voor hen zijn. Voor hen, maar voor jou ook! Echt waar. Ik weet waar ik het over heb, want ik was erbij, bij die nachtmerrie.

Dus zeg het maar. Durf je verder te lezen?

Kom op! Ik wacht.

Nou, dan niet! Ik dacht het al. Niets aan te doen. Weet je, het had weinig gescheeld of we waren er zelf tussenuit geknepen. Zo bang waren we. Vooral ik. Man, man, wat was ik bang.

Stel dat ik me vergis. Stel dat je toch moediger en wilder bent dan je zelf wilt. Stel dat je gelooft, droomt of hoopt dat je misschien nog wilder zou kunnen zijn dan wij, lees dan rustig verder. Ik wens je nu vast een te gekke tijd. Ha! Want later komt het er niet meer van.

Een jaar in de hel

'Waar moeten jullie in de zomervakantie heen?' vroeg Raban.

Rond Willies stalletje lagen we in het gras. Hoewel het al donker werd, was het nog steeds heel warm. De zweetdruppels van de training glinsterden op onze huid en we zogen de laatste druppels sinas uit de beslagen flesjes.

'Sjjj-sjj-lllippp!' klonk het. En hoewel dat het enige geluid in de Duivelspot was, gaf niemand Raban antwoord.

'Hé!' De jongen met de jampotbril sprong op. 'Wat moeten jullie in de vakantie doen?'

Raban staarde ons aan. Hij staarde ons aan alsof hij uit een droom was ontwaakt en in een nachtmerrie terecht was gekomen. Achter zijn dikke bril leken zijn uitpuilende ogen net kleine kwallen. De drie hoorntjes van haar op zijn hoofd brandden als vuur. En de vraag die hij ons stelde, weerkaatste tegen de schuttingen.

'Waar!... Waar... waar... Moeten!... Moeten... moeten... Jullie!... ullie... In! De!... De... Zomer... omer...vakantie... kantie...Heen?... heen... heen...'

We keken verbaasd naar hem op. De echo van Rabans woorden streek met ijzige spookvingers door ons haar. De schijnwerpers van bouwlampen zoemden. Het klonk oorverdovend in de stilte. De zon die achter de westelijke wachttoren zakte, veranderde de zweetdruppels op onze gezichten in bloedrode druppels.

'Ik moet naar St. Barth!' snauwde ik en ik sloeg met mijn vuist in mijn hand. Mijn keeperhandschoenen kraakten als oud, broos leer. 'Ik moet me vier weken zien te vermaken op de duurste tennis- en golfbanen ter wereld.'

'Krakende krabbenpoten!' zei Leon. 'Ik hoop dat ik nooit zo rijk word als je vader.'

'Ik ook niet! Brakende Beren!' Marlon slaakte een diepe zucht. 'Maar een maand op Sardinië kan ook eeuwig duren. Zelfs zonder tennis of golf.'

'En zonder voetbal!' Leon keek ons aan alsof iemand hem sinas zonder prik had verkocht. 'Stel je even voor: zodra we willen voetballen, horen we alleen maar: "Veel te warm. Waarom gaan jullie niet zwemmen? Of ga schelpen zoeken, jongens. Dat is toch leuk?"'

'We kunnen wel ruilen, hoor!' Deniz keek Leon verwijtend aan. 'Ik moet naar mijn oma in Tu-hur-kije en dat wordt hartstikke leuk. Da-hat weet ik ze-heker. Alle oosterse tapij-hijten! Vorig jaar heb ik de waterpij-hijp van mijn opa kapot-gescho-hoten met mijn voetbal. Sindsdien is voetballen daar stre-heng verboden!'

Maar even verboden was het onderwerp waar we het nu over hadden. Al weken schoven we het voor ons uit en niemand durfde erover te praten. We lagen elke nacht wakker. We staarden uit het raam naar buiten. Daar hingen stapelwolken. Er dreigde een noodweer. Het werd elke nacht erger. Het breidde zich over het hele Wilde-Bende-land uit. En sinds gisteren hoor ik het noodweer met zijn monsterklauwen over onze daken krabbelen. Bijtende heksenkwijl! En over twee dagen begon de zomervakantie. Daar verheugen de meeste kinderen op de wereld zich een heel jaar op. Over twee dagen stond ons de mooiste tijd van het jaar te wachten. Zes weken vrij. Geen school! Fantastisch! We hadden een bloedhekel aan school, maar aan de zomervakantie nóg meer. Die duurde voor ons niet maar zes weken. Nee. De vakantie was voor ons als een jaar in de hel.

'Oma Verschrikkelijk wil met mij naar een beautyfarm!' Vanessa rolde met haar ogen.

Josje had totaal geen medelijden met haar. 'Bij zo'n fantastische chirurg, die je helemaal verbouwt? En wie lijkt daarna op wie? Lijkt je oma even oud als jij, of lijk jij even oud als je oma?' Ons geheime wapen grijnsde zo breed als een tijgerhaai die door een stoomwals is platgewalst. 'Hé, Marlon!' riep hij. 'Wat zou jij leuker vinden?'

Daar kwam Vanessa's vuist op zijn kin terecht. 'Ik waarschuw je, jongetje! Nog één verkeerd woord! Dan...' De onverschrokkene keek hem aan. Haar blik was zo dreigend dat de kleine Josje de pijn aan zijn kin meteen vergat. Hij durfde niet eens meer 'au!' te roepen.

'Goed zo,' mompelde Vanessa tevreden.

Maar Raban was allesbehalve tevreden. 'Welja! Wat is er zo goed?' siste hij. 'Kun je mij dat misschien vertellen? Ik moet met mijn moeder naar de Ardennen. We gaan nordic walken, of hoe het ook heet! En omdat ze bang is dat het te saai voor me is gaan de drie roze monsters ook mee. Ik tel de dagen af tot we gaan! Dat snappen jullie zeker wel!'

De jongen met de jampotbril wriemelde aan de drie kurkentrekkers op zijn hoofd. Die waren gemaakt door de drie roze monsters. Dat waren drie dochters van een vriendin van Rabans moeder. Ze hadden alle drie gemene, blikkerende tanden. En zij hadden die kurkentrekkers in Rabans haar gemaakt bij hun laatste barbiepoppen-zombieland-afspraak.

Stinkende apenscheten! En alsof we allemaal hetzelfde lot hadden ondergaan, alsof we allemaal zo'n kapsel hadden, kreunden en steunden we samen met Raban. En daarna klaagden we om beurten over ons leed!

Jojo die met de zon danst, moest met zijn moeder gaan kamperen in Zierikzee.

Josje en zijn oudere broer, Joeri 'Huckleberry' Fort Knox, werden naar hun tante in Frankrijk gestuurd. Het huis van die tante was zo wit, dat zelfs de kleinste wilde gedachte een grote zwarte vlek achterliet.

Annika, de drakenrijdster, ging naar een huisje in Drenthe met haar ouders. Daar was het mooier dan in Nieuw-Zeeland, vonden haar ouders. Maar eigenlijk waren ze alleen maar bang om te vliegen.

Vliegangst was iets dat de vader van Rocco helaas niet kende. De Braziliaanse voetbal-ster van Ajax zou zoals elk jaar weer naar Brazilië vliegen en hij nam zijn zoon de hele zomervakantie mee.

Fabi verheugde zich op de vakantie naar Mallorca als op een verjaardag zonder cadeaus. Hij ging er pas voor de twaalfde keer heen!

En Felix mocht zich verheugen op Ameland! Daar moest hij heen, of hij het leuk vond of niet. Want zijn moeder en haar zes vriendinnen hadden zich ingeschreven voor een workshop. Het thema was: 'Hoe vind ik als moderne vrouw mijn plaats in de moderne maatschappij?' Felix zag al behoorlijk bleek.

Max zag nog bleker. Hij moest met zijn vader, de ijskoude bankier, op studiereis. Ze gingen naar de veiligste banken van Denemarken om hun inbraakveilige kluizen te bekijken.

Alle gillende krokodillen! Hoe moesten we die tijd doorkomen?

Boven ons en de Duivelspot was de hemel nu zwart. Zo zwart als het Niets. En de enige sterren die ons konden beschermen tegen dat Niets, waren onze vier schijnwerpers. Maar toen werden ook die door al het zwart opgeslokt: het was tijd om naar huis te gaan.

Zonder een woord te zeggen duwden we onze fietsen tegen de sprintheuvel op terwijl Willie de hefboom ophaalde. Het zoemde en siste. Vonken schoten uit de oude stroomkast in Willies stalletje. De schijnwerpers doofden als de ogen van stervende dieren zodra hun ziel hun lijf verlaat. Willie en de Duivelspot verdwenen ook in het Niets. Ze zakten weg in het zwart. En hoewel wij dat wisten, keken we niet om. We durfden niet. We waren te bang dat ze voor altijd weg zouden zijn. Snap je dat niet? In de zomervakantie ga je niet alleen maar op reis. Nee, dan verander je. Dan verandert alles. Of je nou in Denemarken, in Drenthe of op Ameland zit. Dat weet je toch wel? Dat heb je zelf ook vast wel meegemaakt. Na de zomervakantie is niets meer zoals het eerst was. Dan wordt iedereen iemand anders. Krakende krabbenpoten! En dat wilden we nou juist niet.

Donderslag

De nacht was een hel. Mijn laken was kletsnat, zo warm had ik het. En toen ik eindelijk wegdoezelde, was mijn matras een reusachtige spons geworden. Die spons rook net zo lekker als de sokken van Dikke Michiel als hij ze in hartje zomer vier dagen achter elkaar gedragen had.

Maar de spons was geen spons. Hij was een monster. Hij noemde zich Freddie el Freddie, de vretende vreetzak. Hij smakte en boerde. Toen zuchtte hij diep. En hij zoog me langzaam en genietend door zijn slijmerige lippen zijn glibberige bek in, alsof ik een spaghettisliert was. Ik zakte weg als in drijfzand. Ik schreeuwde en trappelde. Ik bokste. Ik beet. Ja, ik beet hem in zijn stekelige tong. Ik beet tot hij schreeuwde, tot hij schold en spuugde. En toen was ik vrij.

Nee, ik was weer wakker. Ik lag op mijn laken, dat nat was van het zweet. Ik bleef roerloos liggen. Ik kon me niet bewegen. Ik was als verlamd.

Maar ik wist dat hij terug zou komen. Ja, zodra ik weer sliep, kwam Freddie terug. Ik staarde naar het open raam. Buiten bewoog niets. Er stond geen zuchtje wind. Zelfs geen vleugje tocht verried wat er boven me gebeurde. Maar aan de hemel stapelden de donderwolken zich op: donkerder en groter dan in de nachten daarvoor. En ze veranderden in afschuwelijke maskers. Bliksemflitsen schoten uit hun ogen en uit hun monden rolden de donderslagen. Ze brulden zo hard dat de aarde trilde. Ze zweefden langzaam naar me toe. Ze krabbelden aan het dak. Ze slokten de bomen op. Ze staken hun klauwen mijn kamer in. Ze grepen naar me en ik wist het zeker: uiterlijk morgen kregen ze me te pakken. Wat moest ik doen? Toen viel ik in slaap.

De volgende morgen was de lucht staalblauw. De zon kietelde mijn neus. Freddie en de wolkenmonsters waren verdwenen en mijn laken was glad en voelde koel aan. Ik gaapte, rekte me lekker uit en verheugde me op onze training. De op twee na laatste schooldag daarvóór interesseerde me niet. Dan wordt er toch niets meer gedaan. Of vergis ik me? Zeg nou zelf! Een week voor de vakantie is het schooljaar toch al om? Tenminste voor ons, leerlingen. Daarom hebben we die laatste paar dagen toch niet nodig? We zouden in die laatste week duizend belangrijkere dingen kunnen doen. Dat weet je ook wel. Maar helaas snapt niet één leraar op de wereld dat. En dat kunnen ze ook niet snappen. Voor hen is deze laatste week de allerbelangrijkste van het jaar en noodzakelijk om te overleven. Opeens worden ze namelijk bang. Het valt ze plotseling op dat bijna elk kind op de wereld een bloedhekel heeft aan school. Misschien komen ze na de vakantie niet meer terug, denken ze. En daar zijn de leraren bang voor. Daarom veranderen ze. Ze doen opeens allerlei dingen die ze het hele jaar door zijn vergeten. Ze doen moeite! Ze bedenken dingen die ons wijs moeten maken dat school leuk is. En ze hopen dat we daar intrappen. Hou toch op! Ze hopen écht dat we ze geloven. Dat het hele volgende jaar wordt zoals die laatste week. Bijtende heksenkwijl! Maar ik zeg je, uiterlijk na groep 5 weet je het wel. Je gelooft er geen woord van. Maar je gaat weer terug naar school omdat je moet. Finito! Basta! Punt! Uit!

En daarom interesseerde die op twee na laatste schooldag me geen klap. Ik verheugde me alleen op de training. De laatste training in de Duivelspot. De laatste training voor een donkere, eeuwige, niet-wilde tijd.

Ik rekte me eens lekker uit. Ik strekte mijn armen richting plafond. Ik deed mijn ogen dicht en weer open. Toen ging ik rechtop zitten.

'Ja,' zuchtte ik. 'Dit wordt een wilde dag!' Ik haalde diep adem. 'Hebben jullie dat allemaal gesnapt? Freddie el Freddie en die donderbliksemmonsters? Ik hoop niet dat jullie zó hard snurken dat je mij niet eens hoort!'

Ik zeg het je nog eens: let op, dit wordt de wildste dag van mijn leven!

Ik sprong uit bed. Ik trok mijn pyjama bijna kapot in mijn haast. Ik wilde geen seconde van deze dag verliezen. Toen klonk er een schot boven het gekwetter van de vogels uit! BENNGGG! Het leek of de hel ontplofte. Het knalde nog harder dan een Mega-Machtig-Monster-Schot van Max 'Punter' van Maurik. En de stilte die erop volgde was zo machtig en koud als de december-waterland-wind in de ijstijd.

'Alle bevroren paardenvijgen,' fluisterde ik. 'Nu zal zelfs de duivel in de hel bevriezen!'

Maar op hetzelfde moment kreeg ik het weer heel warm. Zo warm als een boor die zich door titanium wil vreten. Want zo klonk het zoemen, het fluiten, het krijsen. Het scheurde de stilte aan flarden en vloog door het open raam mijn kamer binnen. Gifgroen lichtend sloeg de voetbal tegen de muur. Een seconde later knalde hij oorverdovend hard tegen het plafond en sloeg de lamp aan flarden. Hij donderde tegen de kast, vloog door de kamer en maaide mijn verzameling monsterfiguren in zijn geheel van de plank. Van daar sprong hij op de grond. Hij rolde over Uruk-hais, aliens en reuzenspinnen – alsof het minikevers waren – regelrecht op me af. Kokende kippenkak! Wat moest ik doen? Ik lag plat op de grond. Dat viel me nu pas op. Ik hield mijn handen beschermend boven mijn hoofd. Ik was zo vreselijk geschrokken. En ik schrok nog erger toen de gifgroene bal mijn neuspuntje raakte. Bij alle slijmerige heksenzoenen! Ik sprong meteen op. Ik greep naar mijn neus, omdat ik dacht dat hij even lang zou worden als de neus van Pinokkio...

En toen keek ik neer op de voetbal. Hij was gifgroen en in dat groen gloeide een teken: bijtend rood als een vulkaanvuur! Ik zag het. Ik kon het niet direct ontcijferen. Maar algauw brandde het logo op mijn netvlies. Het logo en de lont die in het ventiel van de bal stak. Die lont brandde nu op.

Een stuk vuurwerk sproeide vonken en knalde. Een brief vloog door de lucht. Superroze fladderde hij voor mijn neus. Hij lachte me uit. Hij bespotte me. Dat kon ik voelen. Ja, dat wist ik al voor ik hem ving. En voor ik las wat in gifgroene inkt op de achterkant stond. Zinderende hellehitte! Ik stormde naar het raam en sprong eruit. Ik rende de tuin in.

'Ik krijg jullie wel!' riep ik. 'Hier zullen jullie voor boeten!' Ik balde mijn vuisten en rende wild heen en weer. 'Hoor je? Wie jullie ook zijn. Jullie zullen boeten!'

Daar stond Edouard voor me, je weet wel, de butler. Hij kreeg een kleur als vuur.

'O-olala,' zei hij beteuterd. 'Monsieur Marc. Wat doet u ier?' Hij verstarde en keek me lange tijd aan.

'Edouard! Wat is er? Heb je hier iemand gezien?' Ik balde mijn vuisten.

'Iek? O-nee, nee!' haastte de butler zich te zeggen. 'En iek, eh... iek, iek oop voor u dat er ook geen ander ies.'

'Maar dat kan niet,' zei ik ongeduldig. 'Edouard! Er moet hier nog iemand zijn. Een rotjongen. En dat is geen vriend van me!'

'O!' kreunde de butler geschrokken en hij keek om zich heen. 'Weet u dat zeker? Neemt u dit dan maar!'

Hij trok vlug de jas van zijn butlerkostuum uit en hield me die voor.

'Monsieur Marc!' zei hij smekend. 'Iek wil u iets vertellen. Alstublieft, iek bedoel, u ebt geen kleren aan...'

Ik staarde hem aan. Ik wilde het niet geloven. Ik hoopte en bad dat het niet klopte. Maar toen voelde ik het. Shit, ik voelde de wind. Ik voelde hem daar, waar mijn broek zit. Ik bedoel, daar waar ik dácht dat mijn broek zat. Tja, en toen liet ik langzaam mijn ogen zakken.

'IJzige duivelsvloek!' siste ik hees. Eigenlijk wilde ik

schreeuwen, maar ik kon het niet. De lucht voor de schreeuw verdampte in mijn keel. Ik was woest en zo rood als een kreeft.

'IJzige duivelsvloek! Edouard,' fluisterde ik, 'daar zullen ze voor boeten!'

Ik keek hem even aan. Ik keek hem aan alsof ik hem wilde bestraffen en toen rende ik terug, het huis in.

Beestige Beesten

'Daar zullen ze voor boeten!'

Mijn stem was nog altijd schor. Mijn keel voelde rauw. Zo rauw als schuurpapier met de grofste korrel. Met zo'n stem zou je elke vijand met de grond gelijk kunnen maken. Maar dat zou nu niet lukken, want de vijand was er niet.

In plaats daarvan lag de groene voetbal op het aambeeld en brandde zijn logo op onze netvliezen.

'Beestige Beesten' stond er in vlijmscherpe letters rond een oogverblindend vulkaanrode kop: een vampiervleerkatten-doodskop met één ijskoud oog erin.

We waren op Camelot, onze vesting, en hadden het oude houten vat in ons midden gerold. Dat deden we altijd als er gevaar dreigde. En wat hier net gebeurd was, was veel meer dan een gevaar.

'Kom op, lees voor!' zei ik tegen Raban. Ik hield de roze brief voor zijn neus.

De jongen met de jampotbril deed geschrokken een stap naar achteren.

'Waarom ik?' vroeg hij alsof de brief vergiftigd was.

'Omdat jij onze manager bent,' antwoordde ik, 'en omdat verder niemand durft.'

Raban slikte. Hij keek om zich heen. Hij hoopte echt dat ik gelogen had, maar ik had hun allemaal het verhaal verteld. Ik had het geen seconde langer voor me kunnen houden.

De ochtend op school was je reinste marteling. Drie keer sprong ik op tijdens de les. Ik rende naar de deur. Ik wilde naar buiten. Ik dacht echt dat de bel was gegaan. Maar bij de derde keer was het pas kwart over negen. Man! Op de een na laatste schooldag moest ik naar de directeur en – alle vieze heksenscheten! – die liet me helemaal niet meer gaan. Zelfs niet nadat de eindbel had geklonken. Zelfs niet nadat de werkster de planken had afgestoft en de planten water gegeven. Zelfs nadat de conciërge de school op slot had gedaan en – alle nerveuze nijlpaarden! – thuis rustig voor zijn tv zat, zelfs toen hield de directeur mij nog steeds vast. Hij zat gewoon tegenover me te grijnzen. En ik had hem alleen maar mijn mening gezegd. Ik had gezegd wat ik van de laatste schoolweek vond. Pfff! Alles gebeurde alleen maar voor de schijn in die laatste week. En dat bewees hij me nu. Dat bewees hij me zeven lange uren tot kwart over drie.

'Zo, nu kun je gaan.' Hij glimlachte triomfantelijk.

'Wat jammer,' grijnsde ik ijskoud. 'Ik hoopte dat we nog een potje canasta zouden spelen.'

Ik speelde die coole houding maar. In werkelijkheid voelde ik de angst tot in mijn botten. Ik vluchtte de school uit. Ik sprong op mijn zeepkistbakkersfiets en racete als een wilde door de stad. Ik vloog naar Camelot.

Daar deed ik de truc met de zandzak. Ik schoot mezelf naar de allerhoogste toren en blies op de hoorn van Camelot. Hij galmde door de hele buurt. Hij galmde tot in de Duivelspot, waar de Wilde Bende trainde. De schutting trilde mee. Willies haren rezen te berge en daardoor waaide de hoed van zijn hoofd. En – sidderende kikkerdril! – daarna duurde het geen zeven minuten of alle dertien leden van de Bende waren bij me. Ze raceten in formatie Joeri's tuin binnen. Ze sprongen van hun fietsen terwijl ze nog reden. Ze grepen ladders en touwen en klommen naar de reusachtige hal van ons boomhuis, alsof ze Camelot wilde enteren.

Opgewonden begonnen ze allemaal door elkaar te praten.

'Waarom heb je op de hoorn geblazen?'

'Wat is er gebeurd?'

'Marc, vertel!'

'Waarom was je niet op de training?'

Maar toen ontdekten ze de voetbal op het aambeeld. En alsof het ding hen hypnotiseerde, was opeens iedereen stil. De Wilde Bende-leden zakten zonder een woord te zeggen op de grond en zeiden niets. Niet 'Alle stinkende apenscheten!' Niet 'Krijg nou wat!' Niet 'Krakende krabbenpoten!' of 'Kokende kippenkak!' Zelfs geen 'Shit!' was te horen.

Ze zaten er heel stilletjes.

Ze staarden naar het oogverblindende vulkaanrode logo en ze werden lijkwit toen ik het verhaal vertelde. Alleen Max 'Punter' van Maurik kreeg een kleur van schrik toen hij hoorde met welke kracht deze bal mijn kamer was binnengeschoten. KATTA-TA-WOEMMM!

'En wil je nu alsjeblieft de brief voorlezen?' vroeg ik.

Raban keek me aan alsof ik hem in zijn onderbroek met rode stippen naar balletles stuurde. Maar ik wist dat het nog erger werd. Ik had de brief vanmorgen al gelezen en dat was duidelijk één keer te veel. Een tweede keer zou me krankzinnig maken. Maar de anderen moesten het horen.

'Bij de wildste heksenketel aller heksenketels! Raban, waar wacht je nog op?'

Raban pakte de brief met trillende handen aan. Hij vouwde het gekreukte vel papier open. Hij poetste de angst van zijn jampotbril en slikte brokken in zijn keel weg. De eerste was zo groot als een meloen. De tweede was zo groot als twee

meloenen. Hij slikte zo lang tot hij een hele lading had doorgeslikt. En zelfs toen was zijn stem nog steeds schor.

'Oké, zoals je wilt,' fluisterde hij en toen begon hij eindelijk... Nee, dat klopt niet helemaal! Stop! Toen begon hij tot
mijn grote spijt te lezen.

'Hééj en hoi!' las Raban zachtjes. 'Dat is grappig. Jullie
bestaan echt. En wij moeten jullie helaas een groot compli-
ment maken: we hebben al veel dingen over jullie, wilde rakkers, gehoord.'

Rabans adem stokte. Hij hapte naar lucht. Toen maakte hij
zich heel breed als een meikever die een neushoorn wil zijn.
'Wilde rákkers!' siste hij terwijl hij stond te stampvoeten.
'Dat staat er echt. Hebben jullie dat gehoord?'

'Ja, Raban,' zei ik zachtjes. 'Maar dat is pas het begin!'

Leon en Marlon keken me aan. Ze wilden mij de mond snoeren, maar dat liet ik niet gebeuren.

'Kom op, Raban, ga verder!' commandeerde ik mijn vriend. Als je wilt, kun je het eens en voor altijd beweren: Marc is in zijn eentje de schuld van dit alles. Hij heeft de Wilde Voetbalbende naar de filistijnen geholpen.

Maar ik kon niet anders. Shit! Snap je dat niet? Het is net als bij de fabel van de schorpioen en de kikker. Die heeft Josje al uitgelegd toen we ons voor Gonzales verstopten – voor Gonzo Gonzales, de bleke vampier.

'Kom op, Raban, ga verder!' riep ik nog een keer ongeduldig en met deze vijf woorden nam ons lot een wending die niet meer te stoppen was.

'O, sorry,' las Raban. 'Nu worden jullie vast boos. Maar jullie willen toch altijd dat iedereen oprecht is? Dat zijn we nu. En de waarheid doet pijn. Jullie zijn geen wilde bende, jullie zijn hooguit een stelletje rakkers. Jullie willen het wildste voetbalteam ter wereld zijn? Goeie grap! Vergeleken met onze Slangenkuil is die Duivelspot van jullie maar een suf veldje. Jullie zwarte bal is niet meer dan een knikker. Jullie boomhuis is voor ons maar een tuinhuisje. En voor de achtste divisie, waarin jullie die knikker trappen, schiet ons maar één naam te binnen: pamper-klasje! Ha! Wat zeggen jullie nu?'

Raban hijgde van schrik. Zijn ogen werden groter dan zijn jampotbril. Hij maakte zich nog iets breder. Hij groeide tot driemaal de grootte van een neushoorn. Hij zou zo ontploffen, zo woedend was hij... Maar dat was te vroeg.

'Lees door!' beval ik en Raban gehoorzaamde.

'Ha! Wat zeggen jullie nu?' las hij met trillende stem. 'We hopen dat jullie bang worden en de brief niet meteen weggooien, zoals jullie een jaar geleden met Vanessa's brief wilden doen. Want dan missen jullie je enige kans. Wij zijn het wildste voetbalelftal ter wereld. Wij, de Beestige Beesten. En dat jullie zo beroemd zijn en dat niemand ons kent, is een schande en een belediging. Voor draken, ringslangen en adders is dit iets om onmiddellijk van woede uit hun vel te springen.

Daarom dagen we jullie uit tegen ons te komen spelen. Over een week, op 5 augustus, in de Slangenkuil in Eijsden onder Maastricht. Tegen zonsondergang verwachten we jullie en dan zullen we het aan iedereen bewijzen. Dan schieten we jullie naar de woestijn en daarna naar het einde van de wereld. Daar durven we onze giftanden op uit te trekken. Dat beloven we jullie.

Voor het geval dat jullie zijn zoals wij denken en jullie niet eens komen, of wel komen, maar veel te laat, moeten jullie je heel goed verstoppen. Het beste lijkt ons op Camelot, dat boomhuisje in jullie volkstuintje, en daar moeten jullie blijven tot jullie oud en bibberig zijn geworden. Want ook dan zal de wereld de waarheid horen. De wereld zal van ons horen wie jullie in werkelijkheid zijn: een stel kleine jongetjes die kerstversieringen knutselen en die niet fietsen, maar liever in een buggy rijden.

Zo! Nu zijn we klaar met jullie. We hopen dat het nog goed met jullie gaat. Benut je kans ook als het helemaal geen kans is. De zomer is van de allerwildsten, en doe het niet meteen in je broek. We groeten jullie allemaal met ons ratelslanggeratel KRRSSSS! KRRSSSS!

De Beestige Beesten.'

Dampende duivelsdrollen!

Toen daalde er een stilte neer over Camelot. Een stilte zoals die van Max 'Punter' van Maurik in de tijd dat hij geen woord kon uitbrengen en zijn benen van rubber waren.

Het was zo'n ik-hoor-mijn-bloed-door-mijn-aderen-stromen-stilte. Het was alsof we het gevoel konden hóren dat als een lauwwarme kakkerlak langs onze rug naar beneden en over ons stuitje in onze onderbroek gleed. Dampende duivelsdrollen! Maar echt horen was er niet bij. Nee! We konden niets horen, want we waren bang! De lucht om ons heen was opeens heel wattig. Hij smoorde elk geluidje. Hij kroop in je keel als je iets wilde zeggen. Slijmerige heksencobra! Zelfs vloeken lukte niet en we dreigden al van woede te ontploffen, toen Leon gelukkig eindelijk opsprong. Hij sloeg met zijn vuist door de wattige lucht met volle kracht tegen de wand.

'Kóóóókende kiiiippenkááááк!' schreeuwde hij. Het klonk alsof hij met zijn hoofd in de prullenbak zat.

Maar zijn klap was zo hard geweest dat de planken nu vol barsten zaten. En met die klap bevrijdde hij ons. De watten verdwenen. We konden weer vrij ademhalen en het volgende ogenblik kwam een waterval aan vloeken en scheldwoorden uit onze mond.

'Zuid-Braziliaanse caviapis!'

'Bij alle vlie-hie-gende tapij-hijten!'

'Terro-toeristische stekelbesbeesten!'

En: 'Alle duivels in de hel!'

Raban maakte een prop van de brief. Vloekend schopten we de roze brief het hele boomhuis door.

'Alle brakende beren!'

'Shit!'

'Kokende kippenkak!'

'Nijlpaardpropellerstaart!'

'Sidderende kikkerdril!'

'Kromme krakende krabbenpoten!'

En: 'Rollende rinocerosdrollen!'

Wauw! Dat gaf een goed gevoel. We knapten er helemaal van op. De brief lag verkreukt in de verste hoek. Toen viel onze blik op de gifgroene bal. Hij staarde ons aan met zijn ene ijskoude vampiervleerkattendoodskopoog. Een seconde later was alle opluchting verdwenen. Verdampt als een waterdruppel op een gloeiende plaat.

'Nou, bra-havo!' zei Deniz de locomotief zachtjes. 'En wat doen we nu?'

'Vijf augustus valt in de vakantie.' Felix had zo'n last van zijn astma dat hij nauwelijks kon praten. 'Dan ben ik op Ameland en Max zit in Denemarken...'

'Laat mij nou maar met mijn oma in de geneeskrachtige modder baden! Heerlijk! Maar niet heus,' mopperde Vanessa.

'En zelfs als we thuis zouden blijven, hadden we daar niet veel aan. Mijn opa woont toevallig in Eijsden en dat is ongeveer tweehonderd kilometer ver...' Marlon de nummer 10, die anders altijd cool bleef, rukte zijn zweetband van zijn hoofd en gooide hem op de grond.

'Ik blijf in Brazilië,' bromde Rocco. De tovenaar trok de vleermuisvleugel van zijn hals. 'Bij Santa Panter in de roofdierenhemel! Ik kom nooit meer terug naar Amsterdam.'

'Wát zeg je daar?' riep Annika. Ze werd krijtwit. Ze was dol op Rocco en hij was ook dol op haar.

'Nee, ik kom niet terug, drakenrijdster.' De Braziliaan hield zich stoer. 'Ik pieker er niet over. Je kunt niet van mij verwachten dat ik dan nog hier wil leven. Ik bedoel na de vakantie, als de hele wereld denkt dat ik – Rocco, de zoon van Ribaldo – in de pamper-divisie speel!'

'Oké!' snoof Annika even trots als hij. 'Dan blijf ik in het Amsterdamse Bos!'

'En ik in de Ardennen,' besloot Raban. 'Ik laat mijn baard staan, zodat niemand me herkent. Ik zoek een grot op waar niemand me kan vinden. En dan word ik in het geheim de eerste boeddhistische monnik in de Ardennen.'

Hij zuchtte en ging op de grond zitten. Josje deed hetzelfde.

'Hou op over monniken in de Ardennen,' fluisterde ons geheime wapen. 'Dan bestaat de Wilde Bende niet meer.'

Hij keek boos de kring rond. We waren lijkbleek geworden. Zoals we er nu uitzagen, konden we zo met zijn allen in het wassenbeeldenmuseum gaan staan. En op een groot, vrolijk, roze bord zou staan, in gifgroene inkt: 'Hier ziet u de Wilde Rakkers, ha ha! Naar men zegt het allerwildste voetbalteam ter wereld.'

Leon en Marlon keken me aan.

'Waarom heb je die brief niet gewoon verscheurd?' siste Leon. 'Dan zou alles zijn gebleven zoals het was.'

'Leon heeft gelijk,' sprong zijn broer hem bij. 'Wat kan Eijsden onder Maastricht ons schelen? Dat is 200 kilometer ver.'

'Precies,' lachte Leon. 'We doen gewoon of ze niet bestaan. We doen alsof we de brief nooit hebben gekregen.'

'En die bal begraven we bij ons in de tuin,' voegde Fabi er lachend aan toe.

'Precies! En dan verstoppen we ons!' Ik kon mijn spot niet langer verbergen. Ik schaamde me voor het gedrag van mijn vrienden. 'En als de tweede brief komt, of de derde, dan verstoppen we ons gewoon nog dieper.'

'Doe normaal, Marc!' zei Leon verontwaardigd. 'Zoiets gebeurt echt geen tweede keer.'

'Droom maar lekker verder!' veegde ik zijn opmerking van tafel. 'En zorg vooral dat je een baard krijgt. Zo'n baard als Raban al na de eerste brief laat staan. Tegen de tijd dat de vijfde of zesde brief bij ons binnendwarrelt, zitten we allemaal bij Raban in zijn grot.'

Mijn blik zocht Rocco en Annika. Ik strafte hen allebei met pure minachting. 'Sorry: of in het Amsterdamse Bos. Wat ben jij laf!'

Annika, de drakenrijdster, sloeg haar ogen neer.

'Maar de lafste van allemaal is Rocco!' riep ik. 'Moet je hem zien. Ik bedoel, zolang hij er nog is. Want hij loopt van ons allemaal het verste weg.'

'Zeg dat nog eens!' vloog de Braziliaan op. Zijn klap trof me recht onder mijn kin. 'Nou, kom dan, ik wacht!'

Ik keek hem aan. Rocco stak zijn andere vuist tegen me op en het leek of die nog meer pijn zou doen dan de eerste.

'Zeg dat nog eens!' riep hij dreigend.

Ik voelde het bloed op mijn tong. 'Hé, laat toch zitten, man!' zei ik. Ik wreef over mijn wang. 'Dit voelt al veel beter.' Ik schonk Rocco een glimlachje. 'Nu ben je ondanks je lafheid toch nog woedend geworden.'

De Braziliaan sloeg toe. Bliksemsnel en zonder waarschuwing kwam zijn vuist op me af. Maar ik was sneller. Ik ontweek hem en pakte zijn arm vast. Ik gebruikte de kracht van Rocco's klap en slingerde hem dwars door de hal. De Braziliaan donderde tegen de wand van het boomhuis en bleef daar als verdoofd liggen.

'Wauw, Marc!' riep hij verbaasd. 'Waar heb je dat geleerd?'
Maar ik had geen tijd voor lange verhalen.

'Sta op!' riep ik. 'Ik dacht dat je me in elkaar wilde slaan.'
Het bloed in mijn mond smaakte naar ijzer en vechten. 'Kom
maar op. Ik wacht. Of was dat alles?'

Rocco's ogen vernauwden zich tot spleetjes. Maar hij
spong niet op. Hij bekeek me van top tot teen. En ik voelde
de blikken van de anderen. Alle leden van de Wilde Bende
staarden me aan. Ze staarden me aan alsof ik niet bij hen
hoorde. Alsof ik regelrecht uit het donkerste heelal was gekomen. Want zo'n ruzie hadden we nog nooit in onze ploeg
gehad. Dat wist ik ook wel.

'Wat wil je van ons?' vroeg Rocco vijandig.

Ik slingerde hem mijn antwoord recht in zijn gezicht. 'Ik
wil jullie trots! Shit, ik wil trots op jullie zijn! Ik wil me niet
voor jullie hoeven schamen. Snappen jullie dat dan niet?
Dampende duivelsdrollen! Deze brief is een éér! Net als bij
Doc Holliday of Billy the Kid.'

'Billy de wat?' vroeg Josje verward. 'Ik ken alleen maar
Billie, de man met de propellerpet... Au! Au!'

De klap van Joeri kwam regelrecht uit het niets.

'Man, wat ben jij stom!' riep 'Huckleberry' Fort Knox geïrri-
teerd. 'Billy the Kid was een revolverheld in Amerika, sukkel!
Hij was de beste en snelste schutter die ooit heeft bestaan.'

'Precies,' zei ik. 'En daarom werd hij door alle andere revolverhelden achternagezeten. Ze joegen alleen maar op hem,
om hem één ding te bewijzen: dat ze beter waren dan hij.'

Gefluister klonk door de hal van Camelot.

Fabi floot door zijn tanden. 'Allemachtig!' zei de snelste
rechtsbuiten stralend. 'En wij zijn Billy the Kid?'

'Ja,' antwoordde ik, 'zo kun je dat zeggen. En daarom wordt
er vanaf nu op ons gejaagd.'

'Door de Beestige Beesten,' siste Felix.

'Dat is het eerste elftal,' gaf ik hem gelijk. 'Maar er zullen er nog vele volgen. Tenzij jullie je kop in het zand steken en genoegen nemen met de tweede plaats.'

'Ik dacht het niet,' riep Leon. 'Ik ben niet bang! Van mij mogen ze komen. Elke dag! Ik schiet ze graag naar de maan. Maar hierheen komen moeten ze zelf doen.' Leon probeerde te lachen. 'Ik bedoel, wat is dat voor een jager die zich 200 kilometer van zijn tegenstander verstopt en hem uitdaagt zodra die tegenstander vakantie heeft? We zijn niet eens thuis.' Leon probeerde nog steeds te lachen. 'Dat is toch een grap en nog een heel slechte ook.'

'Vind je dat echt?' vroeg ik aan hem. 'Ik denk dat deze zaak bloedserieus bedoeld is.'

'Méén je dat nou?' mompelde Leon.

'Ja, dat meen ik,' was mijn droge antwoord. 'En ik ga nog verder. Ik denk dat jij bang bent.'

'Ik lach me dood!' probeerde onze aanvoerder zich te verweren.

'Maar dat doe je niet. Toch?' Ik werd heel ernstig. 'In Eijsden is de vakantie al lang begonnen en de Beestige Beesten waren híér, bij ons. Kokende kippenkak! Leon, word toch een keer wakker! Wie heeft er anders die bal door mijn raam geschoten?'

Leon verslikte zich bijna. Hij wilde iets zeggen, maar hij kon het niet. Hij wist dat het waar was wat ik zei. Dat wisten ze allemaal en daarom was het nu stil.

Helemaal stil.

Maar die stilte was goed. Hij kroop niet als een reuzenslang van watten in onze mond en keel. We raakten niet in paniek. Nee, hij maakte ons vrij. Het was de stilte voor de storm waarin een lauwe lentewind waait. En die woei nu rond onze slapen. Hij rook naar op reis gaan, naar moed en naar strijd. En hij veranderde ons weer in wat we waren: de wildste voetbalploeg ter wereld. Pruttelende heksenketels!

Ook Leon werd weer de oude: het wildste lid van de Wilde Bende.

'Krijg nou wat!' lachte hij. En deze keer lachte hij echt. 'Krijg nou wat! Dan is het gewoon zo. Dan zullen onze ouders dit jaar alléén op vakantie moeten!'

De krijgsraad van Camelot

Maar dat zouden onze ouders nooit goedvinden. Ik bedoel, dat we zonder hen, helemaal alleen, thuis zouden blijven. En dat weken achter elkaar. Ze wisten precies wat we in die tijd allemaal konden aanrichten. Nee, ze wisten wel beter. Ze wisten dat we nog iets veel ergers van plan waren.

'Mijn vader stopt me in zijn golftas en vervoert me regelrecht naar St. Barth.' Ik keek hulpzoekend om me heen.

'En de mijne,' zuchtte Max, 'sluit me op in de kluis van de bank.'

'Wees blij, daar ben je tenminste alleen.' Felix was als altijd bloedserieus. 'Mijn moeder zal zich met tweehonderd koortsthermometers bewapenen en me schaduwen. Ze zal me de hele tijd op de hielen zitten en zelfs met me meegaan naar de wc.'

'En die van mij,' bromde Raban, 'zou me met geboeide handen vastbinden aan haar archiefkast en die drie roze monsters van haar vriendinnen erbij op wacht zetten, als wachters uit Roze-Strikjes-Land. En vergeleken met Roze-Strikjes-Land is Mordor een puppy-drolletje.'

'Een puppy-drolletje met een strikje,' kreunde Josje.

'Precies,' knikte Leon. 'Dat vind ik ook. En daarom wordt het een nacht- en nevelactie.' Hij grijnsde tegen ons. 'We vragen het niet. We gaan gewoon. En wel vandaag nog. Want morgen is het te laat. Morgen gaan de meeste families al met vakantie. Dan moeten we weg zijn.'

Hij keek vol verwachting de kring rond. 'Of hebben jullie een ander plan?'

Tja, nu stonden wij met onze mond vol tanden. Aan zoiets had niemand gedacht. Het klonk doodgriezelig. Nee, zo klonk het niet alleen maar. Het was beslist een maatje te wild en te groot voor ons. Brakende beren!

'Ja, maar Leon,' protesteerde Felix, 'onze ouders gaan dan toch niet op vakantie! Ze gaan ons zoeken. Ze zullen op ons jagen tot ze ons hebben teruggehaald.'

'Precies,' grijnsde Leon, 'en daarom gaan we ook 's nachts. En niet met de trein. Nee, we gaan op de fiets. Overdag slapen we en 's nachts kiezen we geheime weggetjes. Net als Frodo en zijn vrienden toen ze langs de zwarte ruiters reden van de Gouw naar Brandewijn.'

'Allemachtig,' fluisterde Fabi en hij floot tussen zijn tanden. 'Leon, dat meen je toch niet echt?'

'Hoezo?' vroeg Leon argwanend. Hij keek zijn beste vriend verwijtend aan. 'Is dit allemaal net een beetje te wild voor je?'

'Een beetje? Een béétje?' praatte Fabi hem na. 'Bij alle hottentottennijlpaardendrollen! Dit is het wildste plan van je leven. Het is zo wild dat het van mij had kunnen zijn!'

De snelste rechtsbuiten stak zijn hand op voor een high five. 'Alles is cool!' lachte hij.

Leon sloeg op zijn hand. 'Zolang je maar wild bent!' zei hij. Toen draaide hij zich om naar ons. 'Dat zijn we toch! Heb ik gelijk, of niet?'

'Hongerig hangbuikzwijn!' vloekte Rocco. 'Dat is echt de meest overbodige vraag van de wereld.'

'Dan is het goed,' zei Leon tevreden. 'En de rest? Denken jullie net als Rocco?'

'Slimbo!' antwoordde Marlon voor ons. 'Vertel liever verder. Wat moeten we doen? Of was dit het al? Kom op, broertje, waar is je plan?'

'Hè? Wat?' vroeg Leon verward.

'Dacht ik het niet,' grijnsde Marlon.

En met die woorden nam hij het roer over.

'Joeri, kun jij aan fietskaarten komen? Daar staan ook geheime weggetjes op.

Jojo, jij brengt de kaarten naar Billie met de propellerpet. Die heeft er verstand van. Hij heeft jaren gezworven. Laat hem de plaatsen aankruisen waar we overdag kunnen slapen en die zo geheim zijn dat niemand ons daar kan vinden.

Felix, jij zorgt voor verbandspullen en dingen als jodium. Je moeder heeft vast een hele apotheek in huis.

Marc, jij praat met jullie butler Edouard, de pinguïn. We hebben voor minstens acht dagen eten nodig.

Vanessa en Annika, jullie gaan naar Hadsjie ben Hadsjie, hij moet ons tenten en campinggasjes geven. Max en Deniz gaan met Vanessa en Annika mee. Vraag Hadsjie ben Hadsjie of hij ook wapens heeft. Dat is heel belangrijk. Die hebben we nodig.'

We krompen ineen.

'Ho ho!' riep Deniz. 'Het gaat hier om voetballen, Marlon, weet je nog?'

Maar Marlon snoerde hem de mond. 'O ja? Leg me dat dan even uit als je wilt!' Hij pakte de roze brief en las voor: 'Maar voor het geval dat jullie zijn zoals wij denken, voor het geval jullie niet eens komen, of wel komen, maar veel te laat...' Hij keek ons aan. 'Hebben jullie dat gehoord? Ze schrijven hier dat we het misschien niet redden! Maar waarom zouden we het niet redden? Geloven jullie dat we verdwalen?'

'Alle schele schollen!' fluisterde Max 'Punter' van Maurik

en op dat moment snapten we het allemaal: deze reis zou niet leuk worden. Tijdens deze reis stond alles op het spel.

'Precies,' zuchtte Marlon, 'dus zeg dat ook tegen Hadsjie. En Leon, Raban, Josje en Fabi, jullie gaan naar Willie. Vertel hem alles wat er vandaag gebeurd is en...'

'Nee!' viel Leon zijn oudere broer in de rede. 'Dat doen we niet.'

'En waarom niet?' vroeg Marlon verbaasd.

'Omdat hij een volwassene is, slimbo! Omdat hij ons meteen allemaal verraadt. Dat is zijn plicht, denk na!' riep Leon. 'Hij kan zo'n verantwoordelijkheid niet op zich nemen.'

'Jawel,' protesteerde Marlon. 'Hij is onze trainer.'

'Maar doet hij nooit!' Leon balde zijn vuisten. 'En hetzelfde geldt voor Edouard, Billie en Hadsjie ben Hadsjie. Die zullen ons ook verraden, net als Willie.'

'Niet waar.' Marlon schudde zijn hoofd. 'Niet als Willie het ze verbiedt. Ze horen bij zijn *gang*.'

Leon wilde iets zeggen. Maar zijn broer was hem voor.

'Leon, vriend van me. Denk eens goed na. We hebben hun hulp nodig. Zonder hen redden we het niet.'

'Slimbo!' snoof de slalomkampioen. Marlon gaf hem deze keer gelijk.

'Weet ik,' gaf hij toe. 'Het is echt heel moeilijk. Ik stuur jullie niet voor niets met zijn vieren naar hem toe. Leon, jullie moeten Willie zien te overtuigen.'

'Oké oké, we proberen het wel,' bromde Leon. 'Raban, Josje, Fabi, gaan jullie mee?'

Leon wilde al gaan. Hij was al bij de deur. Maar toen vlamde de ruzie tussen de broers nog eens op.

'En jij dan, broertje?' riep Leon naar zijn broer Marlon. 'Wat doe jij ondertussen? Jij doet toch zeker ook iets, of... zit jouw taak erop met alleen maar wat bevelen uitdelen hier en daar?'

'Nee, zeker niet,' antwoordde Marlon rustig. 'Ik zal hetzelfde proberen met opa. Hij woont al vijftig jaar in Eijsden en hij is beslist...'

'...de beste spion.' Leon was verbaasd. 'Broertje, ik sta versteld. Soms ben je nog wilder dan ik.'

'Dan jij?' vroeg Marlon verrast.

'Ja,' riep Leon. 'Maar ga nou maar niet naast je schoenen lopen, hè.'

'Nee,' grijnsde Marlon. 'Natuurlijk niet. Dat zou hetzelfde zijn als een grizzlybeer die zegt dat hij wilder is dan een hamster.'

Leon snakte naar adem, maar Marlon liet hem geen tijd om woedend te worden.

'Kom op! We moeten weg,' riep hij. 'Doe wat ik gevraagd heb en pak je spullen. We komen allemaal om middernacht weer bij elkaar. In het Donkere Bos bij de oude ruïne. Dat wil zeggen, als Leon me voor die tijd niet vermoord heeft.'

Hij stak zijn hand op voor zijn broer. 'Alles is cool!' grijnsde hij.

'Zolang je maar wild bent,' vulde Leon hem aan. 'Maar voor die hamster zul je nog boeten.' Pas toen sloeg hij, met fonkelende ogen.

En met net zulke fonkelende ogen braken we op. Om middernacht zou het grootste avontuur in de geschiedenis van de Wilde Bende beginnen. Tot dan hadden we nog maar vijf uur de tijd.

De nachtmerrie begint

We sprongen op onze fietsen en raceten door de tuin van Joeri en Josje de straat op.

'Wees wild! Gevaarlijk en wild!' riepen we. Steeds harder gingen we. Toen trokken we aan het touw van de turboblasteraandrijving. De vliegwielen begonnen te gonzen. Zelfs mijn zeepkistbakkersfiets steigerde. En zo joegen Jojo en ik met Vanessa, Deniz, Max en Annika dwars door de stad.

Ik was zo opgelucht. 'Weten jullie wat dit voor ons allemaal betekent?'

'Zeker weten !' riep Jojo enthousiast.

'Ja, man!' riep Vanessa. 'Geen van ons hoeft mee op vakantie!'

Annika, de drakenrijdster, grijnsde van oor tot oor. En Deniz keek ons stralend aan.

'We blij-hijven bij elka-haar!' lachte de Turk.

'En de stormwolkenmonsters zullen verdwijnen!' riep Max opgelucht.

'Ja, en verder blijft alles hetzelfde!' Ik liet het stuur los en spreidde mijn armen zo ver als ik kon.

'En verder blijft alles hetzelfde!' riepen we allemaal tegelijk. Toen vlogen we als Aladdin uit de wonderlamp met losse handen door de stad.

We reden naar de brug over de rivier. De bogen van de brug noemden we de poorten naar de hel. Onder één boog langs de oever woonde Billie met de propellerpet.

'En denk erom, Jojo! Zeg tegen hem dat Willie overal van weet.' Ik bedoelde het heel serieus, maar Jojo vond het niks.

'Dat is een leugen,' zei hij.

'Nee, niet écht!' hielp Vanessa me. 'Leon, Fabi, Josje en Raban gaan Willie overhalen. Zeker weten.'

'En als dat niet lukt?' vroeg Jojo wantrouwig.

'Da-han weet jij da-hat niet,' glimlachte Deniz.

Max zond Jojo een vette, bemoedigende piratenglimlach. 'Jij beweert alleen maar dat Willie overal van weet. Je zegt niet dat hij het ermee eens is.'

'Dus je liegt niet!' zei Annika lachend.

Jojo beet driemaal op zijn lippen. Hij schuifelde viermaal met zijn al honderd keer gerepareerde sandalen door het gras. 'Krijg nou wat!' mompelde hij en toen gaf hij zich eindelijk gewonnen. 'Krijg nou wat! Ik geloof dat jullie gelijk hebben.'

Hij draaide zich om. Jojo liep naar de berm, legde zijn fiets in het gras en liet zich naast de brug van het talud zakken.

'Kom op!' riep Annika. 'We moeten verder.'

Toen schoot me nog iets belangrijks te binnen. 'Hé, Jojo!' riep ik. 'Vraag Billie alsjeblieft wanneer hij voor het laatst bij de geheime schuilplaatsen is geweest. Ik bedoel, je weet nooit of er iets veranderd is. En dan zijn ze misschien niet meer veilig genoeg.'

Jojo knikte.

'Wat bedoel je daarmee?' fluisterde Vanessa geschrokken. Maar ik wees alleen maar naar de rivier, waar de poorten naar de hel zich overheen spanden. Hoewel het nog redelijk licht was, was het donker onder de brug. In het schijnsel van vaten met brandend afvalhout dansten de schaduwen van de daklozen als inktvissen met reusachtige armen over de muren.

'Wat denk je?' kwam ik met een tegenvraag. 'Zou jij ooit bij de poorten naar de hel willen slapen als je niet weet wie daar 's nachts nog meer komen?'

Vanessa slikte. Jojo schuifelde weer met zijn voeten over het gras en de andere drie hielden zich vast aan hun fietsen.

'Dampende duivelsdrollen! Jojo, schiet op!' moedigde ik hem aan. 'En wij moeten verder. Deniz, Vanessa, Annika, Max!'

Ik draaide mijn zeepkistbakkersfiets om, stapte op en reed voor de anderen uit. Dat deed ik omdat ik dacht dat ik op die manier mijn angst kon overwinnen. Maar in werkelijkheid wilde ik weg van hen. De anderen hadden precies hetzelfde. En net als ik durfde niemand erover te praten. We persten onze lippen op elkaar. We klemden onze handen om ons

stuur en zo draaiden we donker, somber en zwijgend de Ro-
zenbottelsteeg in.

Daar stopten we. We schoven de fruitkraam zwijgend opzij.
We tilden de riooldeksel op en toen klauterden Vanessa,
Deniz, Max en Annika door de geheime ingang naar beneden
en kwamen in de werkplaats van de geheime uitvinder/fruit-
koopman Hadsjie ben Hadsjie ben Hadsjie.

'Tot middernacht,' zei ik zachtjes, terwijl ik mijn hand
naar hen opstak. Maar ik kreeg geen antwoord.

Ik legde de deksel terug op het gat en duwde de kar van de
fruitkoopman er weer overheen. Toen liep ik naar mijn
zeepkistbakkersfiets en reed alleen naar huis. Helemaal
alleen, bedoel ik. Ik voelde me opeens zo eenzaam als een
Braziliaanse vuurmier die op een luciferhoutje op de Stille
Oceaan dobbert.

Plotseling stond onze reis naar Eijsden voor me als de zwarte poort van Mordor.

Maar goed dat Leon onze aanvoerder is, dacht ik. Ik zuchtte van opluchting. Ik had groot respect voor de slalomkampioen. Hoe hield Leon dat vol? En dan de verantwoordelijkheid die hij droeg. Denk aan ons eerste avontuur. Leon had Dikke Michiel de oorlog verklaard. En hij gooide Raban en Josje uit het team. En toen ook nog Willie, de beste trainer ter wereld. Goeiendag! Toen zette Leon alles op het spel: de Duivelspot, het land van de Wilde Bende. Stinkende apenscheten! Het had geen haar gescheeld of de Wilde Voetbalbende had niet meer bestaan. En Leon de slalomkampioen, topscorer en jongen-van-de-flitsende-voorzetten, had zelfs niet met zijn ogen geknipperd.

Zo hé, dacht ik. Ik probeerde te glimlachen. 'Met zo'n aanvoerder kan ons toch niets gebeuren? Daarvoor durf ik mijn benen in...'

Stop! Nee! Dat klopt niet. Dat doe ik niet. Ik steek mijn benen niet in het vuur. Of kun je je dat misschien niet meer herinneren? Vandaag was er iets nieuws gebeurd. Vandaag had Leon heel duidelijk wél met zijn ogen geknipperd. Nee, hij had niet alleen geknipperd, hij was báng. Hij wilde niet weten wat er in de brief stond. En toen hij het eenmaal wist, werd hij nóg banger. En hij niet alleen, ook de anderen. Zelfs Fabi en Marlon waren bang. Ze verzetten zich er met handen en voeten tegen dat we de uitdaging van die Beesten aannamen. Ze wilden zich liever verstoppen. Zo bang waren ze. En de enige die dat niet snapte, was ik. Aangebrand duivelsgehakt! Ik moest zo nodig de aanvoerder spelen. Ik moest ze zo nodig vertellen over de revolverhelden en nu was het te laat. Nu renden we onze ondergang tegemoet. Dat wist ik nu. Dat wist ik toen ik de poorten naar de hel zag, het vuur en de inktvissen met hun reuzenarmen. Ze dansten en lachten en brulden tegen me: 'Hé Marc! Kun je ons horen? Het avontuur dat je van je vrienden verwacht, is zeven maten te groot voor jullie. Dat overleven jullie nooit!'

Zo eenzaam als een Braziliaanse vuurmier die op een luciferhoutje op de Stille Oceaan dobbert

Toen ik thuiskwam, stond mijn vader in de tuin te bellen. Hij liep telefonerend de kamer in en was even later weer in de keuken, nog steeds met zijn mobiel tegen zijn oor. Daar kwam hij mijn moeder tegen, en die stond ook te telefoneren, net als hij. Ze namen telefonerend samen een cappuccino. Ze bespraken telefonerend de uitnodiging voor die avond. Ze begroetten me telefonerend, toen ik 'hoi!' riep en ze vroegen telefonerend hoe het met me ging.

'O, prima!' loog ik. En alsof ik mijn verstand verloren was, voegde ik eraan toe: 'Ik ga er om middernacht vandoor, ga zo'n 200 kilometer door Nederland fietsen en de Beestige Beesten eens even wat laten beleven.'

Ik stond in de keuken en zag eruit als een ellendige verrader. Marlons plan was mislukt. Onze reis naar Eijsden zou niet doorgaan. Mijn ouders zouden dat ter plekke verbieden. Bij de lachende Uruk-hai! Wat erg! Maar toch wilde ik het. Nee, ik wénste het. Ik voelde me niet alleen een ellendige verrader. Nee, ik voelde me ook een heel kleine jongen. Een jongen wiens hart van angst uit zijn borst springt. Een jongen die zich in de kelder wil verstoppen. Want een hart kan zijn oren niet dichtstoppen, en de monsterinktvissen schreeuwden nog steeds: 'Hé, Marc, dat overleven jullie nóóit!'

Daarom waagde ik een tweede poging.

'Hé, mam en pap!' zei ik zachtjes. 'Het spijt me heel erg, maar ik kan niet met jullie op vakantie!'

'O, wat leuk!' glimlachte mijn moeder terwijl ze een nummer op haar mobiel intoetste.

En mijn vader voegde er telefonerend aan toe: 'En ik verheug me op ons eerste partijtje golf. Ik durf te wedden dat ik na de eerste vijf holes al tien slagen vóór lig.'

Telefonerend liep hij naar buiten, naar de auto. Mijn moeder ging telefonerend de badkamer in om te douchen. En ik bleef achter in de keuken: zo eenzaam als een Braziliaanse vuurmier die op een luciferhoutje op de Stille Oceaan dobbert.

Ik ging aan tafel zitten. Ik trok mijn keeperhandschoenen uit en slingerde ze in de richting van de roze prullenbak. Ik zat een poosje voor me uit te staren. Even later hoorde ik hoe mijn vader wegreed. Hij had nogal haast. Ik hoorde het water van de douche in de badkamer. En toen hoorde ik alleen nog maar stemmen: de stemmen van de inktvissen onder de brug en de stemmen van de Beestige Beesten.

'De zomer is van de allerwildsten. Doe het niet meteen in je broek!'

'Dit avontuur is zeven maten te groot voor jullie. Dat overleven jullie nooit!' De zinnen schoten als kogels in een flipperautomaat door mijn hoofd. Ze sloegen van binnenuit tegen mijn slapen. Ze wilden me in twee helften scheuren.

'Blijf hier!' schreeuwde de ene helft. 'Hup! Verstop je!'

En de andere schreeuwde daartegenin: 'Wat nou? Kom, we gaan!'

Maar wat moest ik? Bij alle heksenstreken! Ben je wel eens tegelijkertijd vooruit- en weer achteruitgelopen? De vloer onder mijn voeten leek te golven. De stoel waar ik op zat, begon te deinen en – krijg nou wat! – ik wist het zeker: hij zwaaide op de spits van een reusachtige toren. Ik kon en wílde me niet meer bewegen. Ik deed mijn ogen dicht en hoopte alleen maar dat mijn hart eindelijk uit mijn borst zou springen en in de kelder zou verdwijnen.

'O-o! O-Ooh!' zuchtte Edouard, de pinguïn. Hij zette de warme chocolademelk op tafel. 'Voilà, monsieur Junior, drink dit maar vlug op!'

Ik keek verrast naar hem op. Hij had een kookschortje voor met ruches en kantjes. Onze butler zag eruit als Mary Poppins met een kale knar.

'Toe! Vite! Vite! Opdrinken!' zei hij. 'Of moet iek je neus dichtknijpen en et in je mond gieten?'

En toen greep hij me beet. Bliksemsnel deed hij dat. Met wijs- en middelvinger kreeg hij mijn neus te pakken. Ik had het gevoel dat mijn neus in een bankschroef zat. Met zijn andere hand greep hij al naar de chocolademelk.

'Zo, en nu diepe zucht!' beval hij en ik was zo verbaasd dat ik hem gehoorzaamde.

'Goed. Eel goed,' zei Edouard tevreden.

Hij pakte de beker chocolademelk en goot de inhoud zo in mijn mond.

'Hé, wacht even!' riep ik, nadat ik de helft hoestend had doorgeslikt en de andere helft weer had uitgespuugd. 'Edouard! Hou op! Ik ben geen baby meer!'

Ik trok mijn neus uit de bankschroef en keek hem aan. Maar Edouard, de pinguïn, had alleen maar belangstelling voor zijn schortje. Dat was eerst spierwit geweest en was nu versierd met grote bruine vlekken. Zelfs de mooie kantjes en randjes hingen slap en waren doordrenkt met chocolademelk.

'Nou,' bromde hij sceptisch, 'je ne sais pas, iek weet et niet. Iek weet et echt niet.' Hij bekeek me van top tot teen. 'In elk geval loop je niet meer bloot door de tuin.'

Ik grijnsde.

'En je ebt moed nodieg.' Edouard, de pinguïn, schonk de beker nog eens vol. 'Excusez-moi. Maar iek eb alles ge'oord. Iek bedoel, van die Beestiege Beestun en dat jij un de waarheid wielde vertellen.'

Nu werd ik bleek.

'O ja?' Van schrik verslikte ik me. 'Eh... ik eh... bedoel, ja... Willie weet overal van.' Ik lachte opgelucht, omdat ik dat bedacht. 'Hij vond echt alles goed en...' daarmee trok ik mijn hoofd al uit de strop... 'Hij is je baas. Vergeet dat niet, Edouard!'

Ik probeerde zo ernstig en zo streng mogelijk te kijken.

'Oh! Oh!' zei de butler hoofdschuddend en hij deed nog een lepel slagroom op de chocolademelk. 'Iek begrijp, iek begrijp et. Maar waarom zie je dan zo bleek?'

Hij kwam bij me zitten en schoof de chocolademelk naar me toe.

'Ier! Drink op!' Hij keek me aan en zuchtte. Hij trok rimpels in zijn kale voorhoofd en begon te wriemelen aan de kantjes en randjes die nat waren van de chocolademelk.

'Oe zal iek dit zeggen? Ik lijk wel een verdronken poedel. Maar jij, Marc, jij... Iek bedoel, excusez-moi, s'il vous plaît: maar jij, Marc, ziet eruit als een natte dwergpoedel.' Hij drukte zijn duim en wijsvinger tegen elkaar. 'Als een mini-mini-minidwergpoedel!'

Ik slikte en werd nog witter. Voor zo'n belediging zou ik elk ander mens op elke andere dag meteen naar de keel zijn gevlogen. Maar vandaag – alle duivelsdrollen! – had Edouard nog een keer gelijk ook.

'Nee, Edouard,' zei ik daarom hoofdschuddend. 'Ik voel me nog kleiner. Ik voel me zo klein en eenzaam als een Braziliaanse vuurmier...'

'...die op een lucifer'outje op de Stille Océan dobbert.' Edouard knikte en voegde er zuchtend aan toe: 'O-oh. Dat gevoel ken iek.'

Ik knikte. 'Je kunt niet meer voor- of achteruit.'

'Of lienks of rechts,' zei de butler.

En ik zuchtte: 'Je zit gewoon tot aan je nek in de shi...'

'Nee, nee,' zei Edouard vermanend. 'Monsieur Junior, al klopt dat misschien...'

'Oké!' mopperde ik. 'Dan ga ik mijn nest maar eens opzoeken.'

Edouards gezicht was één groot vraagteken. 'Je nest?' herhaalde hij. 'Non! Dat is geen nest. Et is gewoon een bed, maar et rook wel een beetje uh... als een uh... oud nest, een eel oud nest.'

Hij keek me aan. Een lachje sprong uit zijn ogen en dat trok de rimpels in zijn voorhoofd weer glad.

'Eb ik gelijk?' glimlachte hij.

'Ja,' gaf ik toe, 'maar ik slaap er zo lekker in.'

We waren allebei stil. Toen haalde ik diep adem en zei zachtjes: 'Ik ben doodsbang, Edouard.'

Het glimlachje verdween van Edouards gezicht.

'Iek weet et,' knikte hij. 'Maar daarvoor ies cacao goed.'

De butler pakte de kan met chocolademelk op. 'Ik eb drie litur gemaakt en iek denk dat diet genoeg moet zijn.'

'Genoeg waarvoor?' vroeg ik. Ik staarde geschrokken naar de grote kan.

'Voor de moed,' verklaarde Edouard. 'Dat je durft. Dat je et niet van angst in je broek doet.'

'Hé, hé,' sputterde ik. 'Ik weet heus wel wat moed is.'

'Bon,' glimlachte Edouard. 'Dan vertel. Vlug, vlug! Vertel me et ele ver'aal.'

'Wat zeg je?' vroeg ik hem stomverbaasd.

'Exact. Je ebt et begrepen. De ele geschiedenis van die naakte wandeling in de tuin vanmorgen, tot aan de vuurmier in de océan.' Edouard hield me de beker onder mijn neus. 'Of eb je eel veel tijd?'

'Gillende krokodillen, nee!' Ik zuchtte tweemaal heel diep. Toen dronk ik de beker leeg. Die beker en nog twee die Edouard me meteen daarna nog inschonk. En toen, terwijl ik nog vijf en een halve beker opdronk, vertelde ik hem alles wat me dwarszat. Ik beleefde nog een keer wat in er in de laatste paar uur was gebeurd. En – schele schollen! – Edouard beleefde het met me mee.

We werden bijna door Freddie el Freddie opgevreten en de Monsterklauwen joegen achter ons aan. We kregen baarden tot op onze knieën. We verstopten ons als boeddhistische monniken voor gifgroene revolverhelden. Mijn moeder nam telefonerend afscheid van ons. Mijn vader – inmiddels terug

– vergezelde haar telefonerend naar haar feestje van die avond. Wij werden intussen door bijterige, vulkaanrode slangenogen zelfs in de donkerste nacht opgespoord.

'O-oh, lala!' kreunde Edouard en hij zoog van opwinding de resten chocolademelk uit de randjes en kantjes langs zijn schortje.

Toen sloegen we weer op de vlucht. We vluchtten door een van de poorten naar de hel. We wisten aan de inktvissen te ontkomen. We verstopten ons in een volkstuin-huisje en daar keken we elke dag van 's morgens tot 's avonds steeds weer naar dezelfde Wilde-Voetbalbende-film op tv. In die film gingen we met buggy's op de kinderspeelplaats wandelen. Willie heette Wilhelmina, onze divisie heette pamperdivisie en in plaats van in shirts liepen we een balletje te trappen in een luier! Dampende duivelsdrollen! Stel je voor: Edouard in een luier.

'Zo is et genoeg!' Edouard sprong op en balde zijn vuisten. 'O-oooh! Eb jij dat ekt allemaal gezegd?'

'Dat en nog veel meer!' siste ik en ik werd opnieuw woedend. Man, dat was een goed gevoel.

'O-oooh!' snoof Edouard. 'Die Beestiege Beestun!' Hij pakte de kan met beide handen beet en bracht hem naar zijn mond. Toen dronk hij de laatste liter chocolademelk op. En toen liet Edouard een boer, even hard als een leeuw gromt.

'Ah-AAAHHH! Daar zullen ze voor boeten!'

'Zeker weten!' riep ik en ik sprong ook op. 'Ik steek er mijn benen voor in het vuur!'

'Ik mijn benun ook!' zwoer Edouard.

'Mijn ziel!' zwoer ik.

'Mijn art!'

'En mijn keeperhandschoenen!'

Ik stak mijn hand op voor een high five en Edouard sloeg.

'Finito! Basta!' siste ik. Maar de butler deinsde geschrokken terug.

'Foei!' riep hij geschrokken. 'Marc, mijn emel! Je anden zijn bloot.'

'Bijtende heksenkwijl!' Ik schrok ook. Ik staarde naar mijn handen en inderdaad: ze waren bloot. Want mijn keeperhandschoenen waren verdwenen. Ik had ze weggegooid. Dat schoot me nu te binnen en toen keken Edouard en ik tegelijk naar de roze prullenmand.

'O-oh! Vite, vite!' beval de butler. 'De andschoenen! Of wil je wachten tot de prullenmand begint áf te geven?'

'Dampende duivelsdrollen!' Natuurlijk wilde ik dat niet. Ik wilde geen roze handschoenen.

'En ga je rugzak pakken!' riep Edouard. Hij liet me nauwelijks nog tijd. 'Toe! Kom! Doe et, Marc. En dan maak je je zeepkiestbakkersfiets klaar en wel zo, luister je? Alsof je de rally Paris-Dakar rijdt.'

Ik rende naar buiten de Eikenlaan in. Ik hoorde dat Edouard me nariep. 'En niet bang zijn! De voorraad eten is in een alf uur gepakt!'

Toen draaide ik me nog een keer naar hem om.

'En wat doen we met Willie?' flapte ik eruit. 'Edouard! Wat moeten we doen als Willie niet wil? En wat doen we als mijn ouders een keer hun telefoontjes verbreken en geen nieuw nummer intoetsen?'

'Ah! Niet bang zijn,' zei hij opnieuw. 'Iek schrijf een brief.' Hij grijnsde geheimzinnig. 'Geloof me, Marc. Iek kan beter brieven schrijven dan mijn fenomenale mousse au chocolat maken!'

Bij nacht en nevel

Even voor tienen lag ik zoals altijd in bed. Alleen had ik deze keer geen pyjama aan. Nee, ik was aangekleed. Zelfs mijn jack, mijn keeperhandschoenen en laarzen had ik al aan. Ik zweette als in de sauna. Ik had het dekbed tot aan mijn neus opgetrokken en zo staarde ik naar de klok aan de muur. Bij alle heksenzweetvoeten! Die klok nam alle tijd. Ik kon tot duizend tellen, tot de secondenwijzer medelijden kreeg en een streepje verder richting middernacht sprong. Het duurde een eeuwige eeuwigheid... En toen, om half twaalf, kwamen mijn ouders thuis.

'O-oh, bon soir!' hoorde ik Edouard hen begroeten. 'Le junior ligt ien bed en de koffers voor St. Barth zijn gepakt.'

Mijn hart galoppeert als een kudde wilde buffels door mijn borst, maar Edouard knippert nog niet eens met zijn ogen, dacht ik.

Maar toen kwam de schok.

Mijn ouders waren klaar met bellen. Ze drukten bijna gelijktijdig hun telefoon uit en toen gaven ze allebei hun mobieltjes aan Edouard.

'Edouard,' zei mijn moeder. 'Wil je deze dingen uitzetten tot we weer terug zijn?'

'Vanaf nu hebben we vakantie,' lachte mijn vader. 'En daar gaan we tot de laatste seconde van genieten.'

De buffels in mijn borst zetten er nog een tandje bij en

galoppeerden in mijn keel toen mijn ouders de trap op kwamen. En zoals ik al verwachtte, stonden ze even later in de deuropening van mijn kamer.

'Ben je nog wakker?' fluisterde mijn moeder.

Ik schrok zo, dat ik vergat dat ik met wijd open ogen in bed lag.

Mijn moeder knipte het licht aan.

Ik staarde mijn ouders alleen maar aan.

'Morgen begint voor ons de leukste tijd van het jaar.' Ze zei het zoals een fee een toverspreuk uitspreekt die elk wanhopig kind ter plekke redt. Maar het zweet sijpelde vanuit mijn haar over mijn voorhoofd, alsof ik net onder de douche uit kwam.

'Hé, Marc, alles oké?' vroeg mijn vader en mijn moeder kwam naar me toe.

'Je wordt toch niet ziek?' Ze was echt bezorgd en ze zou vast meteen mijn pols willen voelen. De pols die klopte onder het dekbed, in de mouw van mijn jack en in de keeperhandschoenen.

'Nee, hoor!' zei ik en ik trok het dekbed nog hoger op. 'Ik heb alleen maar eng gedroomd. Ja, ik h-heb ge-gedroomd.' Ik zocht wanhopig naar een verklaring. 'Ik heb gedroomd dat ik met papa ging tennissen. Ja, en het stond 7-7. In de tiebreak. In de vijfde en allesbeslissende set. En het was snoeiheet!'

'Oho!' lachte mijn vader. 'Vandaar die druppels op je voorhoofd. Droom dan maar lekker verder.'

'Precies!' Ik lachte ook. 'Heel graag. Ik ben je namelijk net aan het inmaken.'

Ik grijnsde en draaide me naar de muur.

'Welterusten,' gaapte ik. En toen hoopte ik alleen nog maar dat mijn dekbed niet van mijn schoenen was gegleden.

'Welterusten,' zei ik nog eens gapend toen er niets gebeurde.

Pas toen liepen mijn ouders zachtjes de kamer uit.

'Slaap lekker,' fluisterde mijn moeder.

'En veel geluk in de tie-break,' zei mijn vader zachtjes.

Ze trokken de deur achter zich dicht. Ik slaakte een zucht van verlichting.

Ik begon tot duizend te tellen. Dat deed ik zestig maal vijftien keer. Toen, tien minuten voor twaalf, hoorde ik eindelijk de schreeuw van een adelaar. Alleen iemand van de Wilde Bende kent dat geluid. Met die schreeuw had Jojo me al eens uit de tuin geroepen toen ik nog stiekem bij hem in het doel stond. Maar deze keer kwam de schreeuw van Edouard. Dat betekende dat mijn ouders in bed lagen.

Ik sprong uit bed. Ik klom naar het terras en liep de tuin in. Daar zag ik Edouard. We haalden mijn fiets uit zijn schuilplaats. Hij stond klaar en bepakt tussen de struiken bij de garage en we duwden hem de straat op.

'Voilà!' fluisterde Edouard.

In zijn gestreepte pyjama en met zijn slaapmuts op leek hij net Klaas Vaak. Ik slikte en wreef mijn ogen uit.

'Edouard, ik droom toch zeker?' fluisterde ik. Maar mijn Klaas-Vaak-vriend schudde helaas zijn hoofd.

'C'est la vie!' fluisterde hij en zijn stem klonk zo krakerig als een oud grindpad. 'C'est la vie des sauvages!'

Ik knikte. Ik verstond geen Frans, maar ik wist toch wat het betekende. 'Ik weet het,' zei ik met een zucht. 'Zo is het leven. Vooral als je wild wilt zijn.'

Ik stapte op mijn fiets.

'Goeie reis,' hoorde ik Edouard nog zachtjes zeggen. Toen reed ik weg, met lood in mijn schoenen.

Mijn fiets was afgeladen vol. Tassen met eten lagen opge-

stapeld in Jojo's zeepkist en hingen, net als de stuk of dertig veldflessen, aan de reservebanden. Die had ik als drie vikingschilden aan de zeepkist vastgeschroefd.

Maar ondanks het gewicht liep mijn fiets als een trein. Hij snorde als een poes. De nieuwe banden lagen stevig op het asfalt en de ketting liep gesmeerd om het kleine tandwiel. Maar het beste was nog de klank van mijn dubbele turboblasteraandrijving. Hij zong als een walvis: net zo krachtig en machtig. Ik had hem helemaal uit elkaar gehaald en weer opgebouwd. En elke keer als de pedalen rondgingen, werd mijn zeepkistbakkersfiets een kilo lichter.

Alles is cool! riep een stem in mijn binnenste. 'Zolang je maar wild bent!' antwoordde ik.

Ik voelde de nachtwind. Hij was koel op mijn bezwete voorhoofd en hoewel ik op dit moment door het Donkere Bos reed, moest ik lachen.

'C'est la vie!' lachte ik. 'Ja, dat is het leven, maar alleen als je bij de Wilde Bende hoort.'

Ja of nee

Tja. En daarmee zijn we weer terug bij jou. Hoe zit het? Heb je eindelijk een besluit genomen? Ga je met ons mee op dit avontuur? Ben je wild genoeg om bij nacht en ontij weg te lopen? Of blijf je liever veilig thuis?

Aan jou de keuze. Het is ja of nee. Jij bent nog geen Braziliaanse vuurmier die op een luciferhoutje op de Stille Oceaan dobbert. Nee, jij kunt nog kiezen. En – krakende krabbenpoten! – ík kon dat niet. Maar als je achterblijft, dan is één ding zonneklaar: dan is dit je laatste avontuur met de Wilde Voetbalbende. Dan zul je niets meer beleven, want alle andere avonturen komen nog en die zullen groter en wilder zijn.

Dat wil zeggen, als er daarna nog avonturen zijn. Of ben je vergeten wat de monsterinktvissen uit de poorten naar de hel naar mij riepen? 'Dit avontuur is zeven maten te groot voor jullie. Dat overleven jullie nooit!'

En als we het wel overleven, wat dan?

Stel je voor, we komen in Eijsden aan. We bereiken de Slangenkuil op 5 augustus en we verliezen de wedstrijd tegen de Beestige Beesten...?

Hou op! Ik heb het hier niet over een wedstrijd tegen Ajax. Nee, want van Ajax mag je verliezen. De Beestige Beesten verdedigen een andere titel. Zij eisen de titel op: 'Het wildste voetbalelftal ter wereld'.

En wat gebeurt er dan? Wat stellen wij dan nog voor, behalve dat we nog in leven zijn? Dan sluipen we als onze eigen schaduw terug naar huis. Maar ook dat thuis is er dan niet meer. Of geloof je dat er dan nog een land van de Wilde Bende bestaat? Geloof je echt dat een Dikke Michiel ons dan nog gehoorzaamt? Of dat een Gonzo Gonzales onze bondgenoot blijft? Vergeet het maar. Dan is alles over en uit. Dat meen ik. Ik zit echt niet te overdrijven. Je hebt het bewijs al in je hand. Klap het boek maar dicht. Kijk op de rug en zeg dan welk cijfer je daar ziet staan. Kom op, ik wacht. Ik geef je de tijd. Welk getal staat er op de rug van het boek...?

... 13.

Zie je? Wat heb ik gezegd? En hoeveel boeken over de Wilde Voetbalbende moeten er dus zijn?

Precies! Dertien. Dat staat ook op de rug. En dat is nog méér dan een bewijs. Dat is een feit. Dat staat vast. Dat heeft de grote dondervogel hoogstpersoonlijk in de rotsen gegrift: na het dertiende deel is alles voorbij. Dan houdt de Wilde Voetbalbende op te bestaan.

Dus kies maar. Ja of nee, wild of niet wild, dat is de vraag. Maar als je nu besluit voor het wild-zijn, als je met me meerijdt, het Donkere Bos in, als je besluit met ons mee te gaan, wil ik alleen maar zeker weten dat je één ding goed begrijpt: je kunt niet meer terug. Dan is het alsof je bij het skiën kiest voor een bevroren piste. Dan kun je ook niet meer omhoog. Daar moet je dan áf. Dan gaat het alleen nog maar bergafwaarts.

Begrepen? Gillende krokodillen! Begrijp me alsjeblieft niet verkeerd: ik wil je niet beledigen of wegpesten. Ik wil ook niet beweren dat je niet wild genoeg bent. Nee, integendeel: iedereen die meegaat is van harte welkom. Ik heb moed nodig. Die hebben we allemaal nodig. We hebben de moed nodig van jullie, lezers, allemaal! De moed van iedereen die dit boek durft te lezen. En als er ook maar ééntje achterblijft, hebben we niet genoeg moed.

Denk er goed over na. Net zo goed als ik erover heb nagedacht. En als jij, lezer, dan meegaat, weten jullie genoeg. Het is jullie verantwoordelijkheid. Van jullie alleen. Dan kan niemand jullie meer helpen. Dan gaat het met jullie allemaal precies zoals het met mij is gegaan.

Door het Donkere Bos en over de Steppe tot aan het einde van de wereld

En met mij ging het goed. Ik lachte toen ik het Donkere Bos in reed en ik lachte nog steeds toen ik de oude ruïne ontdekte.

Daar had Joeri water en bloed gezweet. Liggend op de boog van de poort had hij Dikke Michiel afgeluisterd. Een paar dagen later kwam hij Dikke Michiel en zijn gang weer tegen. Ze sleepten hem de Steppe op, voorbij de Graffiti-torens tot achter de Sterrenregenwal. Daar is het rovershol van Michiels neef. Die neef is wel drie keer zo dik als Dikke Michiel zelf.

Maar voor ons zou de reis nog verder gaan. Tot in Eijsden, onder Maastricht. En als we de wedstrijd tegen de Beesten verloren, zelfs nog verder en onherroepelijk tot aan het einde van de wereld.

De kerkklok sloeg twaalf toen ik bij de open plek kwam. De ruïne was in flarden mist gehuld. De vochtige stenen glansden in het licht van de maan en een ogenblik lang leek het of het vervallen kasteel leefde. Alsof het een duivelsklauw was die meteen zou toeslaan en me de hel in zou trekken.

'Verschroeid satansgehakt!' siste ik en ik vond mijn lach weer terug. 'Als dit geen goede plek is om een reis te beginnen, dan speel ik vanaf nu vrijwillig in de pamper-divisie.'

'Oké!' knikte Marlon. 'Koop dan maar vast een pak luiers.'

'Er bestaat namelijk geen reis!' zei Vanessa terwijl ze me vlug aankeek. 'In elk geval niet naar Eijsden bij Maastricht.'

'Kippenkak en krabbenpoten!' vloekte Joeri 'Huckleberry' Fort Knox.

En zijn zevenjarige broer Josje voegde er boos aan toe: 'We gaan allemaal braaf met onze ouders op vakantie.'

Ik keek hem aan. Ons geheime wapen had zijn raketracefiets bepakt als een Honda Gold Wing. Joeri's zijspan steunde onder de last van koffers, tassen en landkaarten. De Viking-strandzeiler van Felix zag eruit alsof hij er driemaal mee om de wereld wilde zeilen. Hij had thuis bijna het hele medicijnkastje leeggehaald en meegenomen.

En ook de andere fietsen waren klaar. Ze straalden alleen maar energie uit. De banden lieten trots hun profiel zien. Kettingen en vliegwielen roken naar vet. De turboblasters glansden in het maanlicht. De brommerlampen straalden als sterren die we zelf heel dapper van de hemel hadden geplukt.

'Hoezo?' vroeg ik Jojo en Joeri. 'Heeft Billie jullie niet geholpen?'

'Jawel,' antwoordde Jojo. 'Hij wel. Billie heeft ons geholpen.'

'De geheime schuilplaatsen staan hier allemaal op aangekruist.' Joeri klopte trots op het stapeltje landkaarten.

'En Hadsjie ben Hadsjie?' vroeg ik verder. 'Hebben jullie de tenten en de gasjes?'

'Ja.' Max knikte. 'En ook de wapens.'

'Ja, maar die zijn aan elkaar gebo-honden en verzegeld.' Deniz vond dat heel belangrijk. 'Die mo-hogen we alleen maar in geval van no-hood gebruiken.'

'Goed.' Ik knikte. 'En Edouard heeft ook meegedaan. Zijn voorraad eten is genoeg voor drie tot drieënhalve week. En

63

dit hier, is een cadeau. Dat heeft hij ons meegegeven om onze overwinning te vieren.'

Ik greep in de cockpit van de zeepkistuitbouw en haalde er een blikje cola uit. 'En er zijn er echt meer dan genoeg! Trouwens, kan iemand nog wat van die blikjes kwijt? Anders wordt het voor Jojo te krap op de heenreis.'

Grijnzend keek ik om me heen. Maar mijn vrienden leken niet zo blij als ik.

'Alle nerveuze neushoorns!' riep Leon. Hij sloeg met zijn vuist op zijn brommerstuur. 'Marc, er is geen heenweg! Snap je dat dan niet?'

'En waarom dan niet?' counterde ik. 'We hebben toch alles?'

'Op mijn toestemming na!'

Ik keek om. De stem kwam uit de schaduw van de oude ruïne.

'En Billie, Hadsjie en Edouard zouden jullie ook niet hebben geholpen als jullie niet tegen hen hadden gelogen!'

'Wat zeg je?' Ik sprong van mijn zeepkistbakkersfiets en rende naar de poort. 'Kom op, Willie!' riep ik. 'Zeg dat nog eens!'

'Jullie hebben gelogen!' antwoordde Willie. En wat me nog woedender maakte: doodkalm en zelfingenomen zat hij op een steen.

'Zeg dat nog eens!' Ik snauwde het deze keer, maar Willie schudde alleen maar zijn hoofd.

'Niet zo kinderachtig!' zuchtte hij moe. 'Of geloof jij dat Edouard je ook had geholpen als je hem had verteld dat ik hier niets van wist?'

'Maar dat heb ik toch helemaal niet gezegd!' riep ik. 'Ik heb niet gelogen tegen hem. Ik heb hem de waarheid verteld.'

Ik wilde Willie beetpakken en hem door elkaar schudden, maar iets hield me tegen. Iets in zijn ogen. Die keken me nu spottend aan. Spottend en koud, en dat vond ik doodgriezelig.

'Ik geloof geen woord van wat je zegt,' zei Willie en hoewel hij zich geen millimeter bewoog, deed ik twee stappen achteruit.

'Waarom zeg je dat?' vroeg ik en ik balde mijn vuisten.

'Omdat Edouard volwassen is,' antwoordde hij glimlachend. 'Hij weet dat ik zoiets niet mag toestaan. Dat is te gevaarlijk.'

Willie veegde het zweet van zijn voorhoofd.

Krakende krabbenpoten, dacht ik, waarom zweet hij zo?

En toen deed Willie iets wat hij nog nooit had gedaan. Hij keek me arrogant aan.

'Weg!' beval hij en hij gebaarde daarbij met zijn hand alsof hij een zwerm lastige vliegen wilde verjagen. 'Weg met jullie! Naar huis, en vlug!'

Maar daar was geen denken aan. Daarvoor had ik niet met Rocco gevochten! Daarvoor had ik niet zo veel angst uitgestaan.

'Nee!' zei ik zachtjes. Ik had het liefst mijn nagels dwars door de voetbalhandschoenen in mijn handpalmen gedrukt, maar zo sterk waren ze niet. 'Willie! Als we hier blijven, is het afgelopen met de Wilde Bende.'

'Onzin!' lachte Willie en toen sprong hij op. 'Waar wachten jullie nog op? Het is al na middernacht. Dan horen kinderen van jullie leeftijd in bed te liggen!' Hij keek me aan en hij zweette zo erg dat de kraag van zijn hemd donker verkleurde.

'Alle pikhouwelen! Jullie ouders zullen zich zorgen maken. Dat vergeven ze jullie nooit!'

Nu was het stil en in deze stilte kon ik horen hoe de eerste leden van de Wilde Bende zich overgaven. Raban draaide zijn 12-inch mountainbike met het tractorachterwiel om. Annika, het drakenmeisje, liet de turboblaster van haar downhill bike met dubbele achterband jammeren en janken. Felix draaide het zeil van zijn Viking-strandzeiler met een klap in de wind.

Ik stak mijn hand op.

'Nee, hoor!' riep ik. 'Helemaal niet!'

En hoewel er nu laserstralen uit Willies ogen schoten, keek ik hem recht aan.

'Nee, Willie, ze zullen trots op ons zijn. En jij ook!' Ik trok een brief uit mijn broekzak. 'Kijk! Door Edouard geschreven en aan onze ouders uitgedeeld. Ze zullen hem morgenochtend op de ontbijttafel vinden.'

66

Willie kromp ineen.

'Lees dan!' riep ik. 'Wil je hem alsjeblieft hardop voorlezen?'

Maar dat wilde Willie niet. Hij schuifelde zenuwachtig met zijn schoenen over de bosgrond.

'Wat is er?' ging ik door. 'Waar ben je bang voor?' Ik trok de brief uit de envelop en hield hem Willie voor. 'Ik heb niet gelogen tegen Edouard, Willie!'

Willie keek me aan. Hij schoof zijn hoed naar achteren en haalde een hand door zijn haar, dat nat was van het zweet. Hij wilde iets zeggen, maar hij kreeg er niets uit. Niets, behalve: 'Hou toch op, Marc!' Toen pakte hij de brief. Hij vouwde hem open en begon te lezen.

'Mesdames et Messieurs!' las hij. 'Ik moet u iets heel, heel belangrijks mededelen: uw kinderen zullen niet met u op vakantie gaan. Ze doen het niet omdat ze het eenvoudig niet kunnen.'

Willie werd lijkbleek, maar ik hield vol: 'Lees alsjeblieft verder, Willie,' zei ik.

'Ja, lees door, Willie, alsjeblieft,' zeiden Leon en Marlon achter me.

Willie slikte. Hij draaide zich om. We hoorden hoe hij over zijn baard-van-vijf-dagen streek.

'...omdat ze het eenvoudig niet kunnen,' las hij zo zachtjes dat wij het maar net konden verstaan. 'Maar vóór u nu opspringt en de politie belt, wil ik u graag vragen nog even door te lezen.'

Willie hield op met lezen. Hij slikte moeilijk en toen krabde hij ook nog op zijn voorhoofd.

'Stinkende apenscheten!' schold Raban. 'Willie, als je mijn bril nodig hebt, zeg je het maar!'

'En zou je wat harder willen praten, als dat op de een of

andere manier kan?' Fabi, de snelste rechtsbuiten, grijnsde naar me. 'Ik weet zeker dat we allemaal graag willen weten wat er in de brief staat.'

Willie keek even snel over zijn schouder. Toen draaide hij zich weer naar ons om. Hij haalde diep adem. 'Uw kinderen willen volwassen worden,' las hij de brief van Edouard verder voor. 'Dat weet u en dat wilt u ook. Dat willen alle ouders. Daar durf ik om te wedden. En als dat zo is, vraag ik u: waar worden kinderen beter volwassen? Op St. Barth in een vijfsterrenhotel? In een caravan op Ameland of bij hun oma in Turkije? Of misschien op een fietstocht? Een fietstocht die ze zelfstandig organiseren, en die ongeveer tweehonderde kilometer door Nederland voert. Aan het einde van de tocht spelen ze een voetbalwedstrijd die de belangrijkste van hun leven is. Misschien wordt het zelfs wel hun laatste wedstrijd. Want als ze die wedstrijd verliezen, houdt de Wilde Voetbalbende op te bestaan.

Maar dat is niet alles. Leest u het volgende alstublieft heel goed.

Als uw zonen en dochters niet aantreden tegen de voetbalclub die hen heeft uitgedaagd, is alles wat er tot nu toe is gebeurd voor niets geweest. Dan heeft de Wilde Voetbalbende nooit echt bestaan.'

Willie was intussen opgestaan. Hij zei niets, maar we voelden dat hij met zichzelf vocht. Er waren twee Willies. Een van de twee wilde de brief ter plekke verscheuren. Dat was de Willie die zo zweette. Maar de andere Willie wilde de brief zeker niet verscheuren. En die Willie was de man die we kenden. Dat was Willie, de beste trainer ter wereld. En die Willie dwong de andere Willie nu verder te lezen.

'Ik hoop dat ik alles goed heb uitgelegd. En ik hoop dat u er begrip voor hebt dat ik u niet mag zeggen waar de wedstrijd zal plaatsvinden. Ik kan u alleen maar vragen om vertrouwen in uw kinderen te hebben. In uw kinderen en in ons. Want Hadsjie ben Hadsjie ben Hadsjie ben Hadsjie, de geheime uitvinder/fruitkoopman heeft er persoonlijk voor gezorgd dat uw kinderen weerbestendig slapen. Billie, de man met de propellerpet, is er verantwoordelijk voor dat ze dat op de veiligste plekken doen die er in Nederland zijn, en ik Edouard, de pinguïn, heb de hele voorraad eten voor de reis zelf klaargemaakt en verpakt. En om u helemaal gerust te stellen zal iemand uw kinderen begeleiden die hen van ons allemaal misschien wel het beste begrijpt: Willie van de Duivelspot, de beste trainer ter wereld.'

Nu was het stil. Zo stil als wanneer een munt op zijn kant staat vlak voor hij omvalt. We stonden strak van de spanning. Onze ogen hingen aan Willie. Nee, aan de twee Willies en die staarden nu zonder iets te zeggen het bos in. Ze staarden naar de zwarte schaduwen tussen de bomen. Ze veegden het zweet van hun voorhoofd. Ze krabden aan hun baard en toen had een van de twee de ander overwonnen.

'Alle vervloekte pikhouwelen!' zei Willie. 'Waar wachten jullie nog op? Het is al na middernacht en over vier uur wordt het weer licht!'

Zijn ogen straalden als fonkelende sterren.

'Jojo en Joeri!' riep hij. 'Wat heeft Billie gezegd? Bestaat er een geheime schuilplaats die we voor de ochtend kunnen bereiken? Of moeten we tot morgenavond hier in het Donkere Bos blijven?'

'Wat zeg je, Willie?' vroeg Joeri half verdoofd van verbazing. 'Willie, j-ja natuurlijk, maar wat bedoel je daarmee?'

'Ik bedoel dat ik op vijf augustus in Eijsden onder Maastricht wil zijn!' Het leek nu of de vonken echt uit zijn ogen spatten. 'En ik verwacht van jullie dat ik daar niet alleen verschijn!'

Willie balde zijn vuisten. Maar toen sprong er een glimlach onder de rand van zijn hoed uit en dat lachje kenden we maar al te goed. Het was van de trainer van de Wilde Voetbalbende V.W., de beste trainer ter wereld.

'Komt er nog wat van?' glimlachte hij. 'Volgens mij hebben we nu wel genoeg gepraat, denk ik!'

Hij liep naar zijn brommer en startte hem.

'Op naar Eijsden!' riep hij. Hij sprong op het zadel. 'Op naar de Slangenkuil!'

Toen gaf hij gas. De motor spuwde. De uitlaat knetterde. De brommer maakte een rare sprong en steigerde. Een oorverdovende knal klonk en Willie schoot vanuit het Donkere Bos de Steppe op.

'Dampende duivelsdrollen!' fluisterde ik.

'Kokende kippenkak!' zei Leon. 'Daar heb je gelijk in!' Hij keek me aan. 'Nu wordt het menens!' knikte hij, maar toen moest de topscorer lachen.

'En dat werd tijd, ook! Kom op, wat doen we hier nog?'

Hij reed weg. Het extra brede achterwiel slipte op de bosgrond.

'Op naar de Slangenkuil!' riep hij. En toen allemaal samen: 'Op naar de Beestige Beesten!'

Felix de wervelwind draaide zijn vikingzeil meteen in de wind. De propeller aan de achterkant van Rocco's vierwielige strandbuggyfiets begon met een diep gebrom te draaien. Jojo sprong in de cockpit van onze zeepkistbakkersfiets. Marlon zette zijn hightech versnelling op 'cross' en toen trok Annika als eerste aan het touw van haar dubbele turboblastervliegwielaandrijving.

Een tienvoudig gonzen vulde de lucht en we joegen het Donkere Bos uit. We stortten ons in de brandnetelgreppel. We deden of we het prikken van de bladeren niet voelden.

We sprongen er aan de andere kant weer uit en vlogen over de Steppe. Als een zwerm vleermuizen joeg de bende over het braakliggende land. Onze Wilde Bende-vlaggen wapperden als kraaienvleugels in de wind. In het felle licht van onze brommerlampen glipten de ratten weg – de R.V.B.G's: Ratten Van Buitengewone Grootte. Zij en de Onoverwinnelijke Winnaars beheersten dit land. En in hun vesting, de Graffiti-torens, regeerde hun koning: Dikke Michiel, de gemeenste jongen aan deze kant van de Sterrenregenwal.

En uitgerekend die jongen stond nu op een van de torens. Hij schudde een zakje winegums leeg in zijn mond, kauwde, slikte en liet even later een tevreden boer.

'Wat heb ik gezegd?' bromde de dikzak die we al zo vaak hadden overwonnen. 'De Wilde Dwergen verlaten het zinkende schip.'

'O ja? Hoezo zinkend?' piepte een babyrobotstem. 'Waarom kaap je het schip niet gewoon als de bemanning weg is?'

Dikke Michiel keek op en draaide zich om.

'Wat bedoel je daarmee?' vroeg hij de kwal die achter hem zat. Of lag hij misschien...? Dat was moeilijk te zeggen. De man die achter hem in de rolstoel geperst zat, was drie keer zo dik als hijzelf.

'Wat bedoel je daarmee?' herhaalde Dikke Michiel, en zijn vette neef uit het rovershol liet een lach horen die klonk als een emmer glibberige scherven.

'Ik bedoel dat je kapitein moet worden.'

De ogen van Dikke Michiel lichtten vrolijk op.

'Je gaat het land van de Wilde Bende halen. Je slikt dat door als die zak met winegums van daarnet en...'

'En wat dan?' grijnsde Dikke Michiel alsof hij straks zou horen wat hij van Sinterklaas kreeg.

'En dan...' hikte de babyrobot-monsterkwal, 'dan krijg jij wat je het allerleukste vindt.'

Dikke Michiel keek hem stralend aan. 'Yes! Dat vind ik cool, vette neef, en weet je waarom?' Hij draaide zich om en liep naar de rand van het dak van de Graffiti-toren. Hij zette zijn laserogen op driedubbele sterkte en nam ons daarmee in het vizier. Zijn pikzwarte ziel werd nog zwarter. 'Wat ik het allerleukste vind, is wraak nemen.'

Maar wij wisten daar allemaal niets van. Wij joegen over de Steppe. We raasden voorbij de drie Graffiti-torens en lieten ze achter ons liggen.

'Alles is cool!' riepen Leon en Fabi.

'Zolang je maar wild bent!' antwoordden wij.

'Zo wild als Billy the Kid!' lachte Joeri.

En toen sprongen we over de Sterrenregenwal.

Daarbij vloog onze zwaarbeladen zeepkistbakkersfiets meer dan vijf meter door de lucht. Jojo en ik lachten en juichten. Het was net alsof alles in slow motion gebeurde. We zweefden boven de grond. En de hele troep zweefde om ons heen.

'Bij alle oosterse tapij-hijten!' riep Deniz stralend. Toen kwamen we met een klap weer op de grond terecht. De assen van onze fietsen kreunden en steunden. We vielen met een plof terug op ons zadel. De veren ramden in de voorvork. Mijn polsen dreigden te breken, toen ik de zeepkistbakkersfiets op het laatste nippertje onder controle kreeg.

'Kokende kippenkak!' vloekte Max. Dat sloeg niet op onze landing. Nee, hij bedoelde het dal dat zich voor ons opende. Het was er donker en somber. Daarbij vergeleken waren de Graffiti-torens achter ons een sprookjeskasteel van Walt Disney.

'Hottentottennachtmerrienacht!' fluisterde Raban. Hij trok zijn 12-inch mountainbike op zijn tractorachterband om en bracht hem naast Josje tot stilstand. Ons geheime wapen staarde naar de horizon. En toen vatte hij moed, de kleinste van ons allemaal. Hij stelde de vraag die we onszelf allemaal stelden. Ik durf erom te wedden dat zelfs Willie eraan dacht.

'Marc?' fluisterde Josje. 'Marc, kun je me horen?'

Ik wilde iets zeggen, maar kon het niet. Ik staarde, zoals

wij allemaal, in de donkere woestenij, de zwarte woestenij, waar nauwelijks iets groeide. Het was er kaal, net zo kaal als de woestijn en de paar bomen die hier en daar stonden waren allang dood.

'Marc!' zei Josje. 'Marc, ik wil het nu weten! Wat doet een revolverheld als hij verliest?'

Ik kromp ineen en – dampende duivelsdrol! – ik wilde maar één ding: naar huis. Maar Josje, ons geheime wapen, liet me niet gaan.

'Marc!' riep hij. 'Wat gebeurt er dan?'

Ik haalde diep adem. Ik klemde mijn handen om de brommerhandvatten van mijn stuur. Toen fluisterde ik heel langzaam en schor: 'Niets. Dan gebeurt er niets. Als een revolverheld verliest, is hij dood.'

Dood. Opeens verstomden alle geluiden. Het werd zo stil als aan het einde van de wereld. Krabbenklauwen en kippenkak! We waren bijna op vreemd gebied. De woestenij die vóór ons lag hoorde niet meer bij het land van de Wilde Bende en ook niet bij het land van de Onoverwinnelijke Winnaars. Nee, daar huisde iemand anders. Daar huisde de vette neef en wat daarna kwam wisten we niet. Want hier, voor het einde van de wereld, begon onze reis pas echt.

'Sidderende kikkerdril!' siste Leon de slalomkampioen. 'Misschien is die etterbak wel helemaal niet thuis.'

'Precies!' Fabi probeerde zijn onweerstaanbare glimlach, maar die mislukte. 'Misschien is hij wel op bezoek bij Dikke Michiel.'

Leon en Fabi begonnen weer te rijden. Na een kleine minuut konden we ze al niet meer zien. Ze waren verdwenen in het duister. Pas toen durfden wij hen te volgen. De een na de ander waagde zich in de zwarte woestijn.

Wild en vogelvrij

De rit verliep zonder dat een van ons ook maar een woord zei. We gebruikten zelfs onze turboblasteraandrijving niet, omdat het gezoem daarvan ons aan de vette neef van Michiel zou kunnen verraden. Leon stuurde Max, Deniz en Rocco als spionnen vooruit en toen ze het schijnsel van het rovershol hadden ontdekt, werden we nóg voorzichtiger. We reden zonder woorden tussen de dorre bomen door. Die verborgen ons voor de blikken van de rovers. Maar het was zwaar fietsen. De klei bleef plakken aan onze banden en mijn zeepkistbakkersfiets liep wel tien keer vast. We zigzagden voortdurend: naar rechts, naar links, naar links, naar rechts, naar rechts en toen driemaal naar links. Het was verwarrend en we werden er duizelig van.

Maar twee van ons wisten nog waar we waren. Dat hoopten we in elk geval. Want Jojo zat in de zeepkistcockpit over de landkaart gebogen en van daaruit gaf hij Joeri de richting aan. De richting die Joeri ook met een kompas volgde. Het reusachtige ding schommelde op zijn stuur en de naald danste wild heen en weer.

'Weet je het zeker?' vroeg Willie die met zijn brommer achter hem kwam rijden. 'Weet je zeker dat dat ding werkt?'

'Nou en of!' counterde 'Huckleberry' Fort Knox. 'Dit ding heeft Hadsjie ben Hadsjie helemaal zelf gebouwd. Dit is het eerste en enige navigatiesysteem ter wereld dat geheime

schuilplaatsen zoekt én vindt. Daarmee zou je zelfs de Kerst-
man kunnen vinden, of de Verschrikkelijke Sneeuwman, of
het monster van Loch Ness.'

Willie fronste zijn voorhoofd. Maar voor het eenmans-
middenveld was de zaak afgehandeld.

'Rechts!' riep Joeri. 'En dan tweemaal links!'

Wij hadden geen andere keus dan hem te volgen.
Steunend en zwetend hobbelden we achter hem aan. Links,
rechts en dan weer naar links. De hemel boven ons begon al
lichter te worden en Joeri riep nog steeds: 'Rechts! Links! En
nu weer naar rechts!'

Alle krijsende kraaien! Ik kon niet meer en de zeepkistbakkersfiets werd steeds zwaarder. Het zweet prikte in mijn
ogen. Mijn knieën brandden als vuur en toen we – terwijl de
zon opging – nog steeds door de doolhof van de woestenij
reden, was mijn geduld op.

'Alle hanige hekserij, Joeri! Is dit een grap? Deze zoeker-en-
vinder van geheime schuilplaatsen hoort op de vuilnisbelt.
We rijden in een kringetje, volgens mij. We komen er nooit!'

Plotseling stonden we voor een heuveltje...

'Ha!' lachte Joeri. 'En wat is dit?'

Hij was zo trots als een aap. Hij ging op de pedalen staan
en toen racete hij enthousiast om het heuveltje heen.

'Kom kijken!' riep hij. 'Kom kijken, gauw!'

Dat lieten we ons geen derde keer zeggen. We vergaten
onze uitputting. We raceten achter hem aan. Met de laatste
kracht die we hadden, joegen we rond de heuvel.

'We hebben het gered!' juichten we. 'We zijn eruit!'

Maar opeens hield iedereen dodelijk geschrokken zijn
mond. In een oogwenk werd het weer donker. Het was of
iemand het licht uitdeed. Joeri remde. Willie botste met zijn
brommer tegen het zijspan. Jojo en ik botsten weer op Willie.

Raban rolde over Felix' Vikingstrandzeiler heen. Leon vloog tegen Fabi en Marlon op en als laatste boorde Annika's voorvork zich in de propeller van Rocco's vierwielige buggy.

'Bij Santa Panter en Santa Jaguar!' siste de tovenaar. Hij voelde aan zijn amulet met de vleermuisvleugels. Maar dat hielp niet veel. Hij kon niets zien en Vanessa verging het niet beter. De onverschrokkene vocht met het zwarte vikingzeil en toen ze zich daar eindelijk uit had bevrijd, zag ze nog net zo weinig als daarvoor.

'Joeri! Wat moet dit voorstellen?' riep Raban. Hij probeerde het zwart van zijn jampotbril te vegen.

En Josje keek zo angstig dat hij op een babyschildpadje leek. 'Jojo, waar zijn we?' fluisterde hij.

'O, eh... ik weet het niet!' mompelde Jojo. 'Ik geloof dat we... ik denk dat we...'

'...in het bos zijn.'

Leon deed zijn brommerlamp aan en liet hem om ons heen schijnen. 'Ik bedoel... als je dit een bos kunt noemen.' De slalomkampioen kuchte en slikte. Hij zag eruit als een struisvogel die een pompoen doorslikt. Zo groot was de brok in zijn keel.

'Alle suizende slingerapen!' fluisterde Fabi en hij floot tussen zijn tanden. 'Misschien moeten we de vette neef vragen of we bij hem mogen slapen.'

Hij keek rond. Om ons heen stonden hoge bomen. Het leek of we omsingeld waren door dikke, grote reuzen. De schors op hun stammen was gegroefd als de huid van een stokoude walvis. De stammen waren begroeid met paddenstoelen en mos, die monsterachtige gezichten vormden. Ze sliepen en wachtten daar al eeuwen. Maar nu wekte het licht van onze brommerlampen de monsters tot leven. Ze sprongen op en draaiden om ons heen. Ze grepen met hun armen

en klauwen naar onze hoofden. Het waren er zo veel dat je geen stukje hemel meer zag. Dus daarom was het hier zo donker, hoewel de zon net opkwam. Dampende duivelsdrollen! We waren uit de ene nachtmerrie ontwaakt en meteen in de volgende beland. En deze was erger.

Fabi floot nog steeds. Hij floot nu het lied van zijn vader. Het nummer dat zijn vader altijd floot als hij bang was. En dat Fabi floot als hij zich geen raad meer wist. *Knock, knock, knockin' on Heaven's door*, floot hij nu al meer dan dertig seconden, en dat betekende niets anders dan alarmfase rood. Het betekende dat Fabi het zo dadelijk op zou geven. En dan was het alleen nog maar een kwestie van tijd. Een kwestie van fracties van seconden. Dan zou hij zijn benen uit het vuur trekken en weglopen, zo hard als de snelste rechtsbuiten ter wereld.

'Ja, dat van die vette neef is geen verkeerd idee,' fluisterde hij als laatste waarschuwing. 'Kom, Leon, vergeet dat zoekding voor geheime schuilplaatsen maar even...'

Maar toen hield Joeri 'Huckleberry' Fort Knox hem tegen. 'Stop!' riep hij. 'Krakende krabbenpoten! Dat is geen *zoekding*, Fabi en Leon! Dit is een navigatieautomaat die geheime schuilplaatsen zoekt én vindt. En om ons heen staan ook geen monsters. We zijn in een bos! Alle krijsende kraaien! Zien jullie dat niet?'

Hij keek ons aan. Maar wij geloofden hem niet. Wij zagen alleen maar trollen, Nazgûl en Orks.

'Kom, Jojo!' riep Joeri. 'Geef me de coördinaten. We moeten die schijtebroeken bewijzen dat die enge, griezelige, boze bomen hier géén vleeseters zijn.'

Maar Jojo verroerde geen vin. Alleen zijn ogen schoten nerveus heen en weer. Ze sprongen van de monsters naar Joeri en weer naar de monsters in de bomen.

'Kom nou!' riep Joeri. 'Waar wacht je nog op?' Hij sloeg met zijn hand tegen zijn voorhoofd. 'Zet dat ding daar op je hoofd eindelijk aan en geef me die coördinaten!'

Jojo's hand ging naar zijn voorhoofd. Hij had helemaal niet meer aan zijn bergbeklimmerslamp gedacht. Maar nu knipte hij de halogeenlamp aan en richtte hem op de kaart.

'3X, 4Y en 7Z!' las hij voor en toen keek iedereen naar Joeri.

Die toverde een schrijfmachine-toetsenbord uit het zijspan tevoorschijn. Hij sloot het antieke ding aan op het kompas. Hij tikte de gegevens in de automaat in en stelde de hefboom in werking voor het anders instellen van de regels.

Een bel rinkelde. Het apparaat ratelde en klikte. De schuilplaats-vinder draaide rond om het stuur. De naald sloeg uit als een dolgedraaide propeller. Hij zoemde en kreunde en krijste en piepte en toen bleef hij staan.

Joeri straalde over zijn hele gezicht. 'Kokende kippenkak!' zei hij. Zijn ogen volgden de punt van de naald en die wees nog dieper het griezelbos in.

'Hé, ze eten geen vlees!' riep Fabi. 'Het zijn maar bomen. Kom op, doorrijden!'

'Dat doe ik ook,' counterde Joeri.

Maar het was gemakkelijker gezegd dan gedaan.

De monstergezichten loerden vanuit elke boom en Joeri's benen gehoorzaamden hem niet.

'Kom, Joeri, wegwezen!' zei Vanessa. Ze was niet gauw bang, maar deze keer meende ze het serieus.

'En dan?' mopperde het eenmans-middenveld. 'Ik dacht dat we naar Eijsden wilden, onder Maastricht. En daarvoor moeten we nu eenmaal hierdoorheen.'

Joeri rukte het zijspan los van Willies voorwiel en sprong op het zadel. Hij volgde de naald. Hij reed zo diep het griezelige bos in dat onze lampen hem niet meer bereikten. Hij verdween in de nacht van spookgezichten. En hij reed steeds verder. Zo ver, tot we hem niet meer konden horen en toen was het een paar seconden stil. Maar die seconden duurden uren.

Ik zocht naar Leon. Wat moesten we doen? Toen klonk Joeri's stem opeens vanuit het niets.

'Hé, horen jullie mij?' riep hij. 'Ik heb het gevonden! En Fabi, kom gerust hierheen. De bomen lusten me niet.'

De snelste rechtsbuiten kreeg een vuurrode kleur. 'Alle suizende slingerapen!' siste hij. Toen racete hij ervandoor. Hij joeg aan kop van de hele groep het bos in en zijn schijnwerperlamp vond Joeri als eerste. Het eenmans-middenveld stond voor drie stokoude dennen. Het waren vast de hoogste bomen in het bos. Hij had de kaart met de geheime schuilplaatsen in zijn hand. Opeens begon hij te dansen... Echt waar. Zo stond het op de kaart die Billie hem had gegeven en daarom danste Joeri nu een coole wals. Drie maten naar het oosten en vier naar het noordwesten. Dan vier maten tango naar het zuiden en vier passen salsa naar west-zuidwesten. Het was geweldig en Fabi genoot.

'Hé, Josje!' riep hij. 'Wat denk jij ervan als we je broer een andere naam geven? Zoiets als Joeri Salsa!' De snelste rechtsbuiten proestte het uit. En hij stak ons aan.

'Ja, Joeri Salsa is oké!' lachte Josje. 'Maar dan moet mijn broertje ook een andere baan krijgen.'

'Precies!' lachte Raban. 'Hij moet cheerleader worden en met mijn drie roze monstertjes dansen in de Duivelspot.'

'Als Joeriana Salsa Oeh-oeh-ah!' proestte Fabi het uit. Maar toen zei hij niets meer.

'Grappig, hoor!' zei Joeri smalend. 'Maar als het jou helpt het niet in je broek te doen, ga dan vooral je gang.' Hij glimlachte vriendelijk. 'Toe maar, Fabi, het mag van mij.'

Maar de snelste rechtsbuiten staarde net als wij naar

'Huckleberry' Fort Knox. Die stond midden tussen de dennen. En uit de drie stammen keken ons nu – in het licht van onze brommerlampen – de drie afschuwelijkste gezichten van het hele bos aan. Alle harige heksenwratten! En die drie gezichten waren écht. Paddenstoelen en mos? Onzin. Joeri was de enige die ze niet zag.

'Hé, wat krijgen we nou?' riep hij plagend. 'Kunnen jullie niet meer lachen?'

'Joeriiiii,' fluisterde Josje. Hij wilde hem waarschuwen, maar zijn broer lachte hem uit.

'Ik zal jullie wel een handje helpen,' lachte het eenmansmiddenveld. 'Ik ben namelijk nog niet klaar. Er ontbreekt nog een sambapas en een cha-cha-cha-oeh!'

Joeri lachte. Hij danste en bij de laatste stap, bij het 'oeh!' van 'cha-cha-cha-oeh!', trapte hij met zijn linkervoet tegen een boomwortel. Die kraakte en kreunde en toen brak hij in tweeën. Een deel ervan vloog omhoog. En alsof dat het afgesproken teken was, sloegen de afschuwelijke boomgezichten toe.

Gezoem, gefluit en geratel vulde de lucht. Maar terwijl wij allemaal schrokken, keek Joeri gefascineerd rond. Hij grijnsde nog steeds. Hij geloofde nog steeds in de geheime ingangsalsa-tango-cha-cha-cha-oeh-hokuspokus, toen de grond onder zijn voeten begon te bewegen. Joeri staarde naar zijn voeten. Hij staarde naar ons. Hij staarde naar de gezichten, die hij nu pas ontdekte.

'Krakende kippenpoten!' riep hij angstig.

Toen klonk de zweepslag – 'Knal!' – die de stilte verscheurde. De grond onder Joeri's voeten sprong open en dennennaalden wervelden omhoog. We konden Joeri bijna niet meer zien. Toen werd hij beetgepakt door iets dat hem met onvoorstelbare kracht de lucht in trok.

'Knikkende krabbenpo... kipp... NEEE!' We hoorden hoe hij zich verzette.

Toen was hij weg. Hij was spoorloos verdwenen en met hem verdween ook elk geluid. De dennennaalden dwarrelden geruisloos op de grond. Toen zag alles eruit alsof er helemaal niets was gebeurd, alsof Joeri er nooit was geweest.

'Krijsende kraaien...' fluisterde Josje. 'Leon, waar is hij?'

Maar de slalomkampioen beet alleen maar op zijn lippen.

'Joeri, waar zit je?' riep Josje. 'Joeri! Geef antwoord!'

Hij sprong van zijn fiets en ging lopend op zoek naar zijn broer. 'Joeri! Zeg nou wat, alsjeblieft. JOERI!' Zijn stem klonk steeds wanhopiger.

Boven in een van de bomen zat een koekoek die de kleine Josje hard uitlachte. 'Koekoek! Koekoek! Ohahaha! Koekoek!'

Ons geheime wapen bleef staan. Hij herkende die koekoek. Josje haalde diep adem. Zijn wanhoop veranderde in grote woede en toen hief hij dreigend zijn kleine vuisten.

'Ik maak je dood, Joeri! Waar zit je? JOERIIII!'

'En wij zullen hem graag een handje helpen!' schreeuwde Leon. Ook hij stak zijn vuist woedend op naar de boomtop. Daarin – hij stak er zijn benen voor in het vuur – zat het eenmans-middenveld voor koekoek te spelen!

'Kom naar beneden!' riep Josje. 'Kom naar beneden, rotjoch, en sterf.'

'Meen je dat?' lachte het eenmans-middenveld. 'Je aanbod klinkt heel aanlokkelijk. Ik bedoel, in vergelijking met vroeger. Weet je nog? Toen wilde je altijd met me trouwen!'

'Kom onmiddellijk naar beneden!' dreigde Josje.

We hoorden Joeri lachen. 'Ik pieker er niet over, broertje. En weet je waarom niet? Ik ben namelijk moe en ik wil nu graag gaan slapen. En dat zouden jullie ook moeten doen. Ik bedoel, de komende nacht wordt heel lang. Ik weet niet of

jullie dat wel volhouden als jullie daar beneden bij die bomen blijven staan.'

'Oké!' fluisterde Fabi. 'Joeri, genoeg! Als je nu niet naar beneden komt, komen wij wel naar jou.'

Hij sprong van zijn mountainbike met het speciale sprint-achterwiel en rende naar de drie bomen.

'Bravo! Bravo!' riep Joeri van bovenaf. 'Dit is het eerste goede idee waar je mee komt. Maar ik weet niet, Fabi... Je ben wel de wildste van ons allemaal, maar is dit niet iets te moeilijk voor je?'

'Wacht maar af!' fluisterde Fabi. 'En trek iets warms aan. Ik kom namelijk niet alleen, weet je. We komen met zijn allen in de boom!'

'Daar kun je gif op innemen!' grijnsde Leon. Ook hij sprong van zijn fiets.

'En het zal mij benieuwen wat voor gezicht je dan trekt!' riep Vanessa dreigend.

'Dan danst de pelikaan de samba! Dat beloof ik je!' Rocco klakte tevreden met zijn tong.

'Kom op!' zei Marlon. 'Gaan we Joeri's grote bek dichttimmeren!'

We renden achter Fabi aan naar de drie dennenbomen en Fabi keek triomfantelijk op naar Joeri.

'Zo,' lachte hij. 'Nu is het jouw beurt. Nu moet je ons alleen nog verklappen in welke boom je zit.'

'O, goed, hoor,' counterde Joeri. 'Maar ik denk niet dat jullie daar iets aan hebben.' Hij stak zijn hoofd uit de hoogste boomtop. 'Hier ben ik! Hier boven!' riep hij. En hoewel hij zwaaide, duurde het even voor we hem zagen.

'Krakende krabbenpoten!' slikte Max geschrokken.

Het licht van Jojo's bergbeklimmerslamp kon Joeri nauwelijks bereiken. Zo hoog was de boom.

'Het is vijftien meter hoog!' riep 'Huckleberry' Fort Knox triomfantelijk. 'Dat halen jullie nooit! Zelfs niet als jullie het lef zouden hebben om het te proberen. Jullie hebben maar één kans. Maar ten eerste moet ik dat goedvinden, en ten tweede moet ik jullie nog wel even laten zien hoe het moet.'

Fabi dampte van woede. 'Dat zullen we nog wel eens zien,' snauwde hij.

Toen sprong hij omhoog. Hij probeerde bij de eerste tak te komen, maar die was te hoog. Hij kon er niet bij.

'Alle kronkelende cobra's!' vloekte hij toen hij weer op de grond stond. 'Alle kronkelende cobra's! Leon! Help me eens even. Ik wil die boom in.'

Leon knikte. 'Dat willen we allemaal. Maar we proberen het op de manier van Joeri.'

'Wát?' Fabi hapte naar lucht. 'Die etterbak heeft ons zitten uitlachen!'

'Nee,' antwoordde Leon. 'Dat deden wij. Of ben je Joeriana Salsa vergeten? En de cha-cha-cha-oeh? Joeri was de enige die het durfde. Hij is het bos in gereden. Hij was niet bang voor de enge gezichten in de boomstammen en hij heeft rondge-danst!'

'Precies,' lachte Joeri. 'En dat moeten jullie nu ook doen. Hier! Lees dit maar. Maar doe het alsjeblieft precies zoals het daar staat. Om de beurt, oké? Want ieder van jullie krijgt een code.'

Hij wikkelde de kaart met de geheime ingangen om een steen en gooide die naar beneden.

'Zo,' grijnsde Joeri. Hij genoot. 'Veel plezier, allemaal. Want nu gaan jullie de grootste dansshow meemaken die er ooit buiten Las Vegas is vertoond.'

En hij had nog gelijk ook. Wat er nu volgde was namelijk echt niet leuk. Of liever gezegd: het was pijnlijk, verschrikkelijk pijnlijk. Dat kan ik je wel vertellen. We kregen allemaal een kop als vuur. Ik werd misselijk. Annika, die niet alleen aan thaiboksen maar ook aan ballet deed, begon. Als ze dat niet had gedaan, had niemand meer gedurfd. Dan zouden we allemaal staand hebben geslapen en dat nog wel in het bos met de gezichten. Bijtende heksenkwijl! En dit was allemaal de schuld van Billie. De man met de propellerpet had de code voor de geheime ingang naar deze geheime schuilplaats bedacht. En die code werkte zo:

Er was een kaart van de plek in het bos waar wij nu waren. Op die kaart stond een kruis voor elk lid van de Wilde Bende, ook Willie. Dat was het uitgangspunt. Van daaruit ging het zigzag naar het oosten, zuiden, westen en noorden. Net als op een kaart van een piratenschat. Dat ken je toch wel? Maar in plaats van de stappen die de piraten gebruikten had Billie, de zwerver met de barnsteengele ogen, danspassen bedacht. Zoetzure heksengal! En die dansen moesten wij uitvoeren. Anders kwamen we niet op het tweede punt aan. Op de plek waar bij piraten de schat verstopt ligt. En bij ons waren dat de mechanismen. Weet je nog van die wortel? Ik bedoel die boomwortel op de grond. Waar Joeri tegen trapte toen hij de laatste stap van zijn cha-cha-cha-oeh! danste? Die wortel brak helemaal niet. Nee, die was al gebroken. Had Billie zo geregeld. Als je ertegenaan stootte, stelde hij de katapultlift in werking en die schoot je regelrecht naar de boomtop. Maar die katapultlift deed het maar één keer. We moesten allemaal ons eigen hijstuig vinden. En daarom konden we met geen enkele smoes onder dat verschrikkelijke dansen uit.

Annika was het wel gewend. Ze danste de passen allemaal even lenig en cool. Ze schrok pas toen het net van de grond naar boven schoot. Maar boven, in de top van de boom, lachte ze. Ze riep naar ons, beneden: 'Ha! Dat was pas wild! Dit moet je zien. Kom op, waar wachten jullie nog op?'

Maar dat was gemakkelijker gezegd dan gedaan. Raban moest de boogiewoogie eerst leren en dat ging niet beter dan toen hij de eerste wedstrijd moest spelen tegen Dikke Michiel. Zijn twee verkeerde voeten zaten hem steeds in de weg. We kwamen niet meer bij van het lachen. Maar ook bij mij liep het niet lekker. Ik danste de twist. En als je niet weet wat dat is, vraag het dan maar aan je ouders. Alle krijsende kraaien! Nee, vraag het maar aan je opa en oma. En vraag dan meteen of ze de twist even willen voordoen. Stel je voor hoe ik er daarbij uitzag. Of stel je Max 'Punter' van Maurik voor zoals die rock-'n-roll danste op de bosgrond. Het was fantastisch. Hij was zo gek dat we onze rooie koppen gewoon vergaten. Daarvoor hadden we te veel lol. We rolden van het lachen over de grond en op het laatst was iedereen boven. De katapultlift was een soort omgekeerde bungeejump. Het voelde als of je in een achtbaan loodrecht naar de hemel ging. En die hemel zagen we dan ook eindelijk terug.

'Ha! Dat was pas goed wild!' riepen we. En als je erbij was geweest, zou je weten wat ik bedoel. Dan wist je wat 'zo vrij als een vogel' echt betekent. Dampende duivelsdrollen! We schoten naar boven en belandden, ieder apart, in een reusachtig nest. Een ooievaarsnest of het nest van een adelaar. Die nesten schommelden in de toppen van de bomen. De hoogste toppen die er in dit bos waren. Van hieruit kon je alles zien. Van horizon tot horizon. Het was bijna alsof je vloog en de zon scheen warm op je buik.

Eentje van ons redde het niet. Willie. Ja, Willie zat nog steeds beneden in het bos. Hij zat daar en mopperde iets over zijn knie. Je weet wel, de knie die de vader van Dikke Michiel heeft geruïneerd toen hij net zestien was. En met die knie zou hij nu niet kunnen dansen. Dat mompelde hij brommend. Ik geloofde hem niet. Ik weet niet waarom, ik kan het niet uitleggen.

Ik zag alleen de blikken die hij naar boven stuurde. En die zeiden niet dat hij het niet kon. Die zeiden duidelijk: 'Ik wil niet dansen en ik wil niet de boom in.'

Maar waarom? vroeg ik me af. *Waar is hij bang voor?* Ik heb het over de angst die hij in het Donkere Bos al had.

IJskoude ijsberen! Nee, dat kon toch niet. Willie was onze trainer. Hij stond achter ons. Op hem konden we rekenen zoals de dag op de nacht rekent. En daarom vergat ik dit allemaal heel vlug. Willie was volwassen genoeg om niet bang te zijn in een bos. Zelfs niet in dit bos. Daarom lachte ik nu met de anderen mee. We deden de paraplu's open die we in de boomnesten vonden. Die gebruikten we als parasols. We genoten van het schommelen van de boomtop in de wind en toen sliepen we allemaal in, ieder met zijn eigen droom.

Ik droomde van de gifgroene bal met het vlijmscherpe vulkaanrode logo. Ik droomde van de poorten naar de hel. Ik droomde van de monsterinktvissen en de boomgezichten, van mijn brandende knieën in de woestenij. Ik droomde ervan dat Joeri opeens uit onze ogen verdween. En ik droomde van Edouard, de pinguïn, bij ons in de keuken. En elke keer als mijn droom een nachtmerrie wilde worden, nam ik een slok van zijn chocolademelk. Daar kreeg ik goede moed van.

En toen wist ik het. Het was ons gelukt en het zou ons blijven lukken, want erger dan vandaag kon het echt niet worden. Nee, we waren het wildste voetbalelftal ter wereld en we schommelden vijftien meter of hoger boven de grond.

Goed nieuws en slecht nieuws

Langzaam werd ik wakker. Ik knipperde tegen het licht van de ondergaande zon. Ik rekte me eens lekker uit. Ik genoot van de lauwwarme wind. Hij streek zachtjes over mijn wangen en nam de laatste flarden van mijn dromen mee. Mijn mond ging wagenwijd open en ik gaapte als het grootste nijlpaard ter wereld. Ik wilde niet wakker worden. Ik wilde slapen.

Toen hoorde ik het gebrom voor het eerst. Het kwam van rechts. Daar sliepen Raban en Josje nog in hun nesten. Daarna kwam het brommen en knorren van links en toen van achter en van voren. Het bromde boven me en onder me. Het klonk steeds harder en plotseling knorde het ook in mijn slaapnest en het klonk hongerig. Het klonk als een hongerige grizzlybeer die drie maanden te laat uit zijn winterslaap wakker is geworden.

'Alle vuurspuwende draken!' riep ik. Ik kwam geschrokken overeind. 'Er zitten hier beren, mannen! Wakker worden!'

'Waar dan?' riep Raban. 'Duizend schele schollen! Ik zie niks.' De jongen met de drie kurkentrekkers van haar op zijn hoofd zocht naar zijn bril. 'Zwavelige zwammen! Zeg eens iets, Marc! Of heeft de beer je al opgegeten? Leon, Marlon, Josje!' riep Raban.

Hij had zijn bril gevonden, maar nu zocht hij zijn gezicht.

Hij was in paniek. 'Wie van jullie leeft er nog en wat doet die beer? Heeft hij al genoeg gegeten? Stinkende apenscheten! Zeg maar tegen hem dat ik heel vies smaak! En dat het heel ongezond is als je 's avonds veel eet.'

Eindelijk was het Raban gelukt. Hij had zijn neus en zijn oren gevonden. De jampotbril stond nog wel een beetje scheef, maar zo kon hij beter zoeken. Maar de beer was er niet. Raban keek ons om de beurt aan. We stonden allemaal in onze nesten en grijnsden naar hem.

'Hé!' protesteerde hij. 'Erg lollig, Marc, gefeliciteerd! Ik lach me dood!'

Toen bromde er iets in zijn nest.

'Help!' riep Raban. 'De beer is bij mij!'

Hij sprong angstig op, maar hij zag niets. Het nest was verder leeg. En toch hoorde hij opnieuw geknor en gebrom. Bij hem en bij ons allemaal.

'Hottentottennachtmerrienacht!' fluisterde Raban.

Josje, die in het nest naast hem stond, was het roerend met hem eens. 'Precies,' fluisterde hij. 'Dat zijn de onzichtbare beren uit de boomkruinen. Raban, je hebt toch wel eens van die onzichtbare beren gehoord?' Hij stak zijn handen als klauwen in de lucht. 'OEAAAH!' brulde hij grijnzend. Maar Raban zag er de lol niet van in.

'Ha ha, wat een goeie grap!' mopperde Raban. 'Ik héb het niet meer.'

'Ik ook niet!' lachte ik. 'In elk geval niet lang meer. Raban, kom op. Het spijt me. Ik dacht eerst ook dat het een beer was. Maar de enige die hier gromt als een beer, is onze honger.'

En alsof onze magen dat allemaal hadden gehoord, knorden ze nu in koor.

'Rolmops met slagroom!' zei Raban. 'Ik heb inderdaad honger als een beer!' Hij keek mij aan. 'Marc, we hebben van-

morgen niet gegeten. Vergeten! Dat kan toch niet? Dat over-
leeft niet één lid van de Bende, al is hij nog zo wild. Chocola-
detaart met haring!'

'Blûh! Kots. Braak!' griezelde ons geheime wapen. 'Maar
wat bedoel je, Raban? Als er hier al iets te eten is, zijn het
broodjes met vissticks en nutella-ketchup!'

'Gadver!' riep Raban. 'Daar zou zelfs een vuilnisbak van
over zijn nek gaan!' Hij haalde diep adem. 'Maar zoetzure
rabarbermoes op geprakte spruitjes, dat is... dat is...' Hij haalde nog een keer heel diep adem en toen een derde keer. En die
laatste keer was het meer een soort gesnuffel. En toen
klaarde zijn gezicht op. 'Nee, vergeet de spruitjes. We krijgen
het lekkerste eten ter wereld. Ik ruik knoflook... Ik weet het
al! We krijgen spaghetti met tomatensaus en kaas!'

En Raban had gelijk! Nu roken wij het ook. De geur van
knoflook, uitjes en tomaat kroop in onze neus. Binnen een
halve minuut zaten we in de netten. De netten van de katapultliften. Daarin waren we vanmorgen vroeg naar de kruin
van de boom gezoefd. En nu zweefden we in diezelfde netten
weer naar beneden.

Het is waar, maar vraag me niet hoe het allemaal werkte.
Deze geheime schuilplaats had Billie aan ons verklapt en
Hadsjie ben Hadsjie had zich er vast ook mee bemoeid. Ik
kan je alleen vertellen dat ik heel veel katrollen om me
heen zag. Daarover liepen touwen waarmee de netten aan
zandzakken vastzaten. Die zandzakken dienden als tegen-
wicht. En afhankelijk van waar de netten waren, werden
ze óf zachtjes naar beneden gelaten óf naar boven geschoten.

Maar dat kon me nu niet veel schelen. Het enige wat me
interesseerde, waren de campinggasjes die beneden op een
kaal stukje bosgrond stonden te branden. Die gasjes hadden

we ook via Hadsjie gekregen. Nee, dat klopt niet helemaal. Het waren niet de gasjes die me interesseerden. Het waren de pannen die óp de gasjes stonden en waarin nu de tomatensaus stond te pruttelen.

'Hé, Willie!' riep Raban. 'Waar is de chilisaus? Ik hou wel van een beetje scherp!'

'Maar ik niet,' protesteerde Vanessa. 'Ik wil er geen chilisaus in!'

'En ik wi-hil extra vee-heel peterselie!' bestelde Deniz.

We sprongen uit de netten en renden op Willie af. Die had overal aan gedacht. Super! Een eindje van de gasjes vandaan lagen vier wollen dekens uitgespreid. Daar stonden de borden op. Vijftien stuks precies, en plastic bekers met cola. Er lagen vorken en lepels naast de borden. En op onze 'tafel' stonden bloemen. Die had Willie speciaal geplukt. Onze trainer had een koksmuts op. Die had hij voor de grap gevouwen van keukenpapier.

'Kokende kippenkak!' riep Joeri verbaasd. 'Willie, het ziet er super uit!'

'Cool!' lachte Felix. 'Dat zou ons niet meer gelukt zijn.'

'We zouden uiterlijk over vijf minuten verhongerd zijn!' riep Max.

Maar Jojo schudde heftig zijn hoofd. 'Nee!' riep hij. 'Niet over vijf minuten, ik was over drie minuten al van de honger omgevallen.'

'Of over twee,' zuchtte ik. 'Willie, het gat in mijn maag is zo groot als de vette neef van Dikke Michiel.'

We gingen achter de borden zitten. We pakten ze alvast op. Ik durf mijn keeperhandschoenen erom te verwedden dat we er op dat moment uitzagen als veertien armzalige dwergpoedels die erom bedelden door oma Verschrikkelijk gevoederd te worden.

'Is er iets mis met het eten, Willie?' vroeg Josje bezorgd. 'We zitten hier te verhongeren! Dat zie je toch?'

'Natuurlijk zie ik dat,' grinnikte onze trainer. 'Maar jullie zullen toch nog even geduld moeten hebben.'

'Wát?' vroeg Fabi geschrokken. 'Is die spaghetti nou nog niet klaar?'

'Nee,' zei Willie. 'Hij ligt zelfs nog niet in het water.' Hij zei het op een toon van: *Het spijt me. Jullie moeten helaas sterven.* En daarbij glimlachte hij vriendelijk tegen ons. Hij schoof zijn hoed naar achteren en keek ons onderzoekend aan. 'De saus is nu klaar. Maar ik ga de spaghetti pas koken op drie voorwaarden.'

Onze magen krompen onmiddellijk ineen tot de grootte van een doperwt.

'Sidderende kikkerdril,' kreunde Marlon. 'Zeg het maar.'

'We doen alles wat je wilt!' beloofde Leon. 'Als je maar opschiet, alsjeblieft.'

Weer glimlachte Willie. 'Oké,' zei hij. 'Ik hou jullie aan je woord. De eerste voorwaarde is dat jullie na het eten de boel afwassen. Daarginds, een meter of vijftig hiervandaan, is een beekje.'

'Afgesproken!' riep Annika vlug.

En Raban voegde er snel aan toe: 'Annika en Vanessa doen dat natuurlijk heel graag!'

Hij grijnsde schijnheilig tot Vanessa's vuist zijn kin raakte. Onmiddellijk gevolgd door de vuist van Annika.

'Zeg dat nog eens!' riepen de twee meisjes in koor.

En Vanessa voegde eraan toe: 'Want dan wassen we jou tegelijk met de borden. En denk erom, helemáál!'

Rabans wangen werden knalrood. Hij besloot nooit meer te grijnzen en Willie knikte hem voor dit besluit goedkeurend toe.

'De tweede voorwaarde is: we wisselen elkaar af. Zowel met de vaat als met het koken.'

'Bergen Braziliaanse caviakak!' zei Rocco. 'Goed idee, maar niet heus. Vooral als ik aan de lievelingsgerechten van Raban denk!'

'Zoetzure rabarbermoes met geprakte spruitjes!' griezelde Vanessa.

'Of rolmops met slagroom! Gadver!' Annika trok een gezicht alsof ze een bord regenwormen moest eten. Raban kromp in elkaar.

'Nou, dat zien we nog wel.' Willie krabde op zijn voorhoofd. 'De derde voorwaarde is in elk geval simpel: jullie ruimen hier op. En wel nu meteen. Jullie maken alles weer zoals het was toen we vanmorgen aankwamen.'

'Maar dat duurt een eeuwigheid!' protesteerde Josje.

'Ja, misschien wel,' snoof de beste trainer ter wereld. 'Misschien duurt het ook maar acht minuten. Zo lang duurt het in elk geval tot de spaghetti gaar is.'

Willie deed de spaghetti in de pannen.

'Ga je gang, mannen en vrouwen!' grijnsde hij. 'Of hebben jullie nu geen trek meer?'

Alle krabbenklauwen! Onze magen protesteerden luid. Dus konden we niets anders doen dan terug te rennen naar de katapultliften. We spanden de touwen. We maakten de ontspanners met een haak in de speciale boomwortels vast. En we spreidden de netten op de bosgrond uit. Toen dekten we alles met aarde toe. We wisten onze sporen uit en we waren na zeven en een halve minuut klaar. En toen had Josje vette pech. Driedubbel geknoopte duivelsstaart! Ons geheime wapen wilde als eerste aan de spaghetti. Hij rende naar onze picknickplek, maar lette niet goed op. Hij bleef hangen aan die ene boomwortel en schoot – hop! – opnieuw naar boven, naar de top van de boom.

'Alle tintelende tenen!' schold Raban en zijn maag schold nog harder. 'Door jou moet ik nu verhongeren, Josje!'

Hij was zo boos dat hij tegen een boomstronk schopte. Maar aan die boomstronk had Joeri een paar minuten daarvoor het touw van zijn katapultlift gebonden. De boomstronk klikte als een schakelaar naar voren... En een fractie van een seconde later belandde Raban in het nest naast Josje.

'Alle happende hottentotten!' riep Raban terwijl hij aan de drie harige kurkentrekkers op zijn hoofd trok. 'Wacht maar tot we beneden zijn!'

Toen hoorde hij ons lachen. We lachten dwars door onze knorrende magen heen.

'Hé, Raban en Josje,' giechelde Vanessa, 'ik geloof dat jullie nog iets te doen hebben.'

'Maar we zullen aan jullie denken,' voegde Annika eraan toe. Ze lachte vals. 'We denken aan jullie als we straks zitten te smullen van spaghetti met tomatensaus en kaas!'

Toen renden we naar onze picknickplek. De spaghetti met tomatensaus lag al dampend op de borden en Willie serveerde er naar wens peterselie, chilisaus of extra knoflook bij. Het gejammer hoog in de boom deed ons niets. Nee, we moesten er zelfs om lachen. De twee vochten met de katapultliften en hoe harder ze vloekten, hoe beter het ons smaakte. We aten allemaal minstens drie of vier borden vol. En toen Raban en Josje weer beneden waren, hadden ze pas na vijf borden genoeg. De afwas werd inderdaad door de meisjes gedaan. Dat deden ze expres, zeiden ze later, omdat hun afwasbeurt er dan al op zat. Ze verheugden zich enorm op onze gezichten de komende dagen, vooral ná het eten.

Maar ik had geen tijd om me daaraan te ergeren. Ik had belangrijker dingen aan mijn hoofd. Ik moest erachter zien te komen hoe het thuis was. Ik pakte mijn mobiel – ik was de enige van de Wilde Bende die er een had – en sms'te de code naar Edouard: *Mary Poppins met kale knar.*

Het antwoord kwam onmiddellijk: Uh-oh! Drie helikopters zoeken jullie. Verstop je! Blijf op je plek. Ik bel als het veilig is. De politie zit achter me aan!

'Alle nerveuze nijlpaarden!' Leon rukte de mobiel uit mijn hand. Hij wilde het niet geloven. Wat daar stond betekende: jongens, het is afgelopen!

'Brakende beren!' zei Marlon hevig geschrokken.

Toen stuurde Edouard een sms erachteraan. Leon gaf me de mobiel terug.

'Pardon, jongens,' las ik voor. 'Grapje! Ik wist duizend procent zeker dat jullie er niet in zouden trappen. Jullie weten toch dat ik goed Nederlands kan schrijven? Zie mijn brief aan jullie ouders!'

'Krakende krabbenpoten,' grijnsde Fabi opgelucht.

'Wat zeg je? Wat?' schold Raban. 'Het scheelde niks of die vijf borden spaghetti waren in mijn broek...'

'Raban!' viel Vanessa hem in de rede. 'Bespaar ons de details!'

Raban kreeg een rood hoofd. 'O, o, ik lach me dood,' mopperde de jongen met het rode haar. 'Jullie zijn vandaag allemaal zó grappig!'

'Precies,' grijnsde Annika. 'Lees maar verder, Marc.'

'Er is goed nieuws, maar ook slecht nieuws,' legde Edouard ons per sms uit. 'Het goede nieuws is: twaalf ouders zijn met vakantie.'

'Dit is de mooiste midzomernachtsdroom!' Josje straalde over zijn hele gezicht, maar zijn beste vriend Raban bleef in een rothumeur.

'En wat is het slechte nieuws?' mopperde hij.

'Twee ouders zijn er nog,' las ik het sms'je verder voor. 'Max' vader en Rabans moeder, en die verwachten van mij dat ik jullie vóór morgen verraad.'

'Knetterende kanonnen!' Max 'Punter' van Maurik slikte moeizaam.

Raban, de mopperkont, deed er nog een schepje bovenop: 'Dat was het dan, mannen. Ja, wat kijken jullie nou? Mijn moeder draait Edouard binnenstebuiten. En als hij dan nog niets zegt, knoopt ze het ene strikje na het andere in die paar armetierige sprieten haar die hij nog op zijn kop heeft.'

Nu was het stil. We kenden Rabans moeder allemaal heel goed en we wisten dat Raban niet overdreef. En we wisten ook wie Max' vader was en wat die allemaal kon bedenken. Toen pakte Leon de mobiel en ging door met voorlezen.

'Maar maak je geen zorgen om mij. Rij alleen 's nachts. Ik meld me weer.'

Leon keek ons aan en wij keken naar Willie. Die krabde op zijn voorhoofd. Edouard behoorde tot zijn *gang*. Hij was een van Willies oudste vrienden. Edouard was erbij geweest toen de vader van Dikke Michiel zijn knie kapotschopte. Zo lang kenden de twee elkaar al. En daarom moest Willie beslissen wat belangrijker was: Edouard of de wedstrijd tegen de Beestige Beesten.

'Wat een ellende!' Er verschenen zweetdruppeltjes op Willies voorhoofd. De trainer vocht met zichzelf. Iets in hem kwam hevig in opstand en dat zei: Edouard is gek! We moeten naar huis! Maar iets in hem maakte hem ook de beste trainer ter wereld.

'Wat een ellende!' riep Willie nog een keer en toen sprong hij over zijn eigen donkere schaduw. 'Als Edouard het zegt, moeten we het doen. Dus op de fiets, allemaal!'

Hij hompelde naar zijn brommer en startte hem.

De zomer is van de allerwildsten

Ja! Zo moest het zijn. Zo waren we allemaal kort voor zonsondergang wakker geworden in de top van de boom. En met
dat plan braken we nu op, na het beste avondetenontbijt ter
wereld.

De zomer is van degene die het wildste is. En de wildsten
van alle wildsten, tja, dat zijn wij. Dampende duivelsdrollen!
Daar bestond geen enkele twijfel over. Dat had de grote dondervogel zelf in de rots van het lot gegrift. Maar tegen middernacht begon de rots van het lot helaas af te brokkelen. Er
ontstonden barsten en scheuren in onze wildheid. En toen
een paar uur later het eerste licht aan de horizon verscheen,
bladderde de wildheid van ons af als de verf van heel oude
deuren.

Dat kwam door de angst. De angst en de zenuwen die door
die angst helemaal door elkaar waren geschud. Edouards
sms'je fladderde als een zwerm vleermuizen om ons heen.
Het maakte ons klein. We waren voortdurend bang dat we
ontdekt en gearresteerd zouden worden. Achter elke boom
loerde een agent. Elke lamp die we zagen schijnen was van
een politiepatrouille, dachten we. Ze waren naar ons op
zoek. Zodra we ergens een zwerm nachtvogels hoorden,
waren dat voor ons geen vleugelslagen. Nee, het was het oorverdovende gebrul van helikopters.

Het enige goede aan deze angst was dat we er haast van

kregen. We raceten over de geheime paden weg alsof we konden vliegen. Onze extra brede achterbanden vraten kilometers. En van pure paniek voelden onze benen de inspanning niet. Maar dat was een fout. En daar moesten we de volgende nacht al voor boeten.

'Stinkende apenscheten!' fluisterde Jojo die in de zeepkist de landkaarten zat te bestuderen. 'Als het zo doorgaat, zijn we er over drie nachten al.'

'Waar is "er"?' spotte Raban die met 18 km per uur naast ons reed. 'Eijsden onder Maastricht of de gevangenis van – weet ik veel – Den Bosch of zo? Daar komen we morgenochtend al aan!' Hij begon veel harder te trappen. Nu reed hij 25 km per uur. 'In elk geval als we onze voorsprong met dit slakkentempo verspelen!'

Raban haalde Joeri in en plaatste zich aan de kop van de troep.

'Schiet eens een beetje op!' riep hij, alsof zijn moeder de FBI, de CIA en de AIVD achter ons aan had gestuurd.

Maar Joeri het eenmans-middenveld bleef heel cool. Net zo cool als de navigatieautomaat op het stuur van zijn zijspan, die geheime schuilplaatsen zocht én vond.

'Hé, Raban!' lachte 'Huckleberry' Fort Knox. 'Je blijft wel even normaal doen, hè! We hebben vannacht al drie geheime slaapplaatsen laten schieten. De plek die nu komt moeten we nemen.' Raban en hij raceten de volgende bocht om. 'Of we het willen of...'

'...niet!' Raban remde hard af. 'Stinkende apenscheten!' Hij stapte van zijn fiets en keek naar het spookhuis tussen de sparren.

'Het wordt licht!' Felix slikte moeilijk.

'Bij Santa Panter in de roofdierenhemel, ik hoop dat we daar alleen zijn!'

'Of niet,' fluisterde Josje, ons geheime wapen. 'Ik weet het niet, jullie? Ik zou het prettiger vinden als we niet met zijn veertienen waren, maar met duizend, nee tweeduizend Wilde Voetballers! Wat een griezelig voodookracht-huis!'

Josje zei hardop wat wij allemaal dachten. Een oud molenhuis – wild begroeid en erg vervallen – verhief zich voor ons als een muffe zombie uit zijn graf.

Fabi gooide zijn mountainbike met het speciale race-achterwiel op de grond en liep naar het zombiehuis toe. Dat was helemaal met klimop overwoekerd. Vochtig mos kroop als levende modder langs de muren omhoog. Bomen groeiden uit ramen en erkers en vanuit het binnenste van het molenhuis stak een oeroude eik zijn spooktakken naar bui-

ten. Ze staken door de ramen en door het dak. De wind stak op en de oude muren begonnen te bewegen alsof ze leefden... Het leek of de muren uit een banvloek ontwaakten om alles en iedereen die hier verdwaalde, in één hap te verslinden.

'Nog één keer zal ik niet de schijtebroek zijn,' zei Fabi met een grijns. 'Joeri! Kom op, zeg wat ik moet doen! Moet ik nu weer zingen of dansen?'

'Nee,' antwoordde Joeri. 'Je hoeft alleen maar de hefboom te bedienen. Die daar, aan de rivier.'

'Oké!' zei Fabi. Hij ging aan de hefboom hangen, die zo'n twintig centimeter boven zijn hoofd uitstak. 'En dan?' vroeg hij. 'Wat gebeurt er dan?'

Hij zag nog hoe de sluis openging. Het waterrad zette zich in beweging. Het bevrijdde zich van het wier en toen...

'Krijg nou wat!' schreeuwde Fabi geschrokken terwijl hij door het valluik stortte dat onder hem opensprong.

Het ratelde en knetterde. Hout schuurde tegen hout. Metaal kraste op steen en steen op metaal. Het klonk alsof Fabi vermalen werd...

'Leon!' schreeuwde hij. 'Zet dat ding stil!'

De slalomkampioen stormde naar de hefboom. Hij zette zich schrap tegen de machtige schacht. De sluis begon zich weer te sluiten. Toen schreeuwde Leons beste vriend: 'Nee! Nee! Niet stilzetten!'

Leon stopte. Hij keek ons aan. Het knerste en gierde. Het klonk huiveringwekkend!

'Fabi!' riep Leon. 'Alles goed met je? Fabi! Zeg nou iets. Fabi, wat is er?'

Maar Fabi bleef stil. Hij schreeuwde zelfs niet om hulp. We hoorden alleen maar het knersen en schuren op steen. Het drong door tot in onze tanden en haarpuntjes. Onze tenen bevroren er bijna van. We waren als verlamd. We konden niets doen. Toen balde Leon zijn vuisten.

'Alle schele schollen!' vloekte de slalomkampioen. 'Fabi, ik heb wat van je te goed.'

Hij sloeg met zijn vuist tegen de muur van de watermolen. Hij sprong door het valluik naar beneden. Hij verdween voor onze ogen in de grond en toen was alleen nog de hel te horen.

Het ratelen, knersen en kreunen.

We keken elkaar aan. Nee! Ze keken allemaal mij aan. Mij, Marc de onbedwingbare, hun enige keeper. Alle leden van de Wilde Bende keken me aan. Want ik had ze overgehaald. Ik had gezegd dat ze naar Eijsden moesten gaan. Daarom was het ook alleen mijn schuld. Wat Fabi en Leon was overkomen, was mijn schuld. En omdat ik dat wist, vluchtte ik naar voren. Ik deed hetzelfde als Leon. Ik sprong het monster recht in zijn bek.

'Bij de pruttelende heksenketel!' vloekte ik en ik sprong van mijn zadel. 'Dit heeft Hadsjie toch uitgevonden? Hier is toch helemaal niks mee aan de hand?'

Ik keek nog een keer naar mijn vrienden. Ik keek of ik tot alles in staat was. Zo wilde ik tenminste dat het eruitzag. Mijn blik moest ze overtuigen, en mijzelf ook. Maar alle krabbenklauwen! De anderen geloofden geen woord van wat ik zei. En ik, ik geloofde mezelf al helemaal niet. Maar ik had geen keus. Ik haalde diep adem en sprong in het gat, in het donkere gat onder het valluik.

'Slijmerige heksenkwijl!' schreeuwde ik geschrokken.

Toen werd het zwart. Ik gleed door een glibberige buis. Ik gleed de diepte in. Ik draaide zeven keer om mijn as en toen schoot ik weer naar boven. De glibberige buis spuugde me uit. Even zag ik de lucht. Ik zag hem door een raam van de zombie-watermolen en toen viel ik weer naar beneden. In vrije val! Takken en spinnenwebben sloegen me in mijn gezicht. Ik viel en viel. Van schrik sprong mijn maag in mijn mond. Ik werd misselijk. Ik wist zeker dat ik binnen een paar seconden weer ergens tegenaan zou knallen. Ik stelde me voor hoe ik in duizend stukken uit elkaar zou spatten. Toen viel ik met mijn achterwerk op een kussen. De rand van een mand boorde zich in mijn knieholten, in mijn oksels en in mijn hals. Ja en toen, bij alle waterspuwende brandweerdraken, ratelde, knerste, rammelde en knarste ik weer naar boven.

Mijn adem stokte. Mijn kin plakte aan mijn navel vast. Mijn neus stak in mijn haar. Mijn ogen werden zo groot als een frisbee. Ik was stomverbaasd over wat ik nu langzaam in het donker ontdekte. Alle heksenbetoveringen op een stokje! Ik was in het zombie-molenhuis. Ik zat met mijn kont klem in een wasmand. Om me heen rinkelden ijzeren kettingen. Houten tandwielen knarsten om verbogen assen, en steenslingers zakten knersend naar beneden. Ze trokken de wasmand om de oude eik heen. In een spiraal hesen ze mij schokkend en onhandig naar duizelingwekkende hoogte. De touwen waar ik aan hing vielen uiteen. Ik moest hopen en bidden dat de molen echt een uitvinding van Hadsjie ben Hadsjie was.

Maar als dat zo was, had Hadsjie dit al jaren geleden uitgevonden. Nee, tientallen jaren geleden, toen hij zelf nog leerling was: een geheime leerling-uitvinder, van wie de helft van de uitvindingen mislukte. En dat de spiraal-wasmandlift toen gewerkt had, zou zelfs een leugenaar als de Dikke Michiel nooit beweren.

De kussens waar ik op zat leken wel te leven. Er krabbelde en kriebelde van alles en het kroop in mijn broek. De tandwielen zakten weg in een vuistdikke laag stof en alles wees erop dat het nog nooit gebruikt was. Hier was vast in geen eeuwen meer een sterveling geweest. Ik was bang dat ik elk moment in de diepte kon storten. Toen sloeg de mand om. Ik vloog voorover door een trechter en viel ergens neer. En toen ik mijn ogen open durfde te doen, lag ik naast Leon en Fabi in levend stro.

Maar wat om ons heen kroop en vloog, was niets vergeleken met wat er boven ons hing. Aan de takken, die zich door het molendak naar buiten hadden gewerkt, hingen trossen zwarte, gevleugelde beesten. Duizenden vleermuizen strekten hun koppen naar beneden uit en bekeken ons met hun uitpuilende ogen. Ze bekeken ons allemaal, want intussen gleden de overige leden van de Wilde Bende stuk voor stuk door de trechter en ze staarden naar die grijnzende bekken met de spitse tandjes.

Allemaal, op Willie na. Die vond het prettiger ergens anders en alleen te slapen. Zoals hij dat ook had gedaan in het katapultliften-vogelnesten-bos. En diep in mijn hart wou ik dat ik net zo slim was geweest als hij.

'Dit zijn geen vampiers,' fluisterde ik. 'Vleermuizen zijn totaal niet gevaarlijk. Die doen ons niets.'

'O nee?' zei Vanessa

spottend. 'Waarom zweet je dan zo? En waarom verroer je geen vin?'

'Omdat ik dat ook maar gehoord heb! Weet ik veel of het klopt!' counterde ik. 'Maar blijf hier gerust liggen wachten tot de spinnen en kevers in het stro je vanbinnen uitgehold hebben.'

Ik was koppig. Mijn haarpunten raakten de vleermuizen. De beesten krompen ineen, maar ze vlogen niet weg. Toen kroop een dikke spin met rode puntjes op haar lijf langs Vanessa's mond naar boven en perste zich in haar linkerneusgat.

'Gadver!' schreeuwde ze en ze sprong geschrokken op. 'Gáááttss, wat smerig!'

En zo schreeuwden de vleermuizen ook. Ze fladderden in een zwarte wolk om haar heen.

'Jaghhrrrr, bah!' schreeuwde de onverschrokkene. 'Weg, engerds! Weg! Weg!'

Ze keek de vleermuizen aan. En alsof de beesten haar echt hadden verstaan, vluchtten ze weg door de openingen in het dak.

'Wauw!' riep ik verbaasd en ik keek Vanessa aan.

Ze had nog steeds die blik waar je een wapenvergunning voor zou moeten hebben.

'Ben jij het echt?' vroeg ik, zo voorzichtig als een olifant in een porseleinkast. 'Vanessa? Of vergissen we ons per ongeluk en ben je iemand anders?'

'Wát?' riep ze kwaad en ze veranderde haar blik van 'alleen maar verlammend' in 'zeker dodelijk'.

'Je weet best wat ik bedoel,' durfde ik nog te zeggen. En ik had zelfs het lef om te grijnzen. 'Ik bedoel, ik ken maar één iemand voor wie zelfs de duivel weg zou rennen.'

'O ja?' riep Vanessa uitdagend. 'En wie mag dat dan wel

zijn?' Rook stoomde uit haar neusgaten en daarmee vloog de spin met rode stippen van schrik haar neus uit.

'Dat weet toch iedereen,' grijnsde ik. 'Jongens, moet je horen. We hebben een fout gemaakt! We hebben Vanessa in Amsterdam gelaten en per ongeluk oma Verschrikkelijk meegenomen.'

Ik begon te lachen en ik bleef lachen, ook toen Vanessa's vuist hard mijn kin raakte.

'Wat heb ik gezegd,' lachte ik. 'Je oma wilde toch altijd al zwaargewicht bokskampioen worden?'

Vanessa keek me aan. Haar ogen fonkelden van woede. Ze wilde zich op me storten. Maar intussen lachten we allemaal.

'Niet te geloven!' proestte Jojo. 'We hebben Vanessa met oma Verschrikkelijk verwisseld...!'

'De schrik van duivels en vleermuizen!' Rocco hield zijn buik vast van het lachen.

'Nu kan ons helemaal niets meer gebeuren!' hijgde Felix. Hij schoot opnieuw in de lach.

En Deniz voegde er schaterend aan toe: 'Nu he-hebben we niet ee-heens de wapens van Ha-Hadsjie nodig.'

Raban maakte zich breed zoals een meikever dat doet. 'En mocht de politie ons willen oppakken,' zei hij, 'dan verandert oma Verschrikkelijk elke agent in een witte muis!'

Hij viel van het lachen in het stro. Hij vergat de spinnen en de kevers. Hij lachte en lachte, maar opeens merkte hij dat hij nog de enige was die lachte.

De anderen van de Wilde Bende lachten niet meer. Ze keken mij aan en zelfs Vanessa's woede kroop weg van angst.

'Wat de politie betreft,' fluisterde Leon. 'Wat zei Edouard daarover in zijn sms? Hij heeft toch een sms'je gestuurd, Marc? Zeg nou!' Maar ik had mijn mobiel allang in mijn hand.

'Nee,' antwoordde ik schor en ik schudde mijn hoofd. 'Geen bericht van Edouard!'

Nu was zelfs Raban stil.

'Oké.' Leon slikte moeilijk. 'Dan moeten we onze fietsen buiten verstoppen. En we zetten wachtposten neer! Twee aan twee elke keer.'

Meer zei hij niet en we stelden ook geen verdere vragen. Maar de wachtposten hadden we niet nodig. Tenminste niet de komende vier uur. Zo lang lagen we wakker. Pas toen won de moed het van onze angst. We vielen in een rommelige slaap. Een slaap die zo onrustig was als het stro waarin wij ons omdraaiden. Maar de spinnen en kevers lieten ons volkomen koud. Net als de vleermuizen met hun uitpuilende ogen. De beesten keerden weer terug en brachten ons spookachtige dromen. Ze schudden ze uit hun vleugels, en die dromen achtervolgden ons tot in de avond. Zelfs als we sliepen, waren we op de vlucht. En toen we bij het invallen van de duisternis eindelijk wakker werden, voelden we ons uitgeput en geradbraakt.

Ik trok meteen mijn mobieltje voor de dag, maar er was nog steeds geen bericht van Edouard. En dat zou – krabbenkip en klauwenkak! – de volgende drie dagen niet veranderen.

De angst voor de politie en de helikopters groeide. Hij kroop als een giftige dwerg in onze nek. Hij knaagde aan onze zenuwen. Hij vrat onze moed op en effende daarmee de weg voor een nog grotere vijand: uitputting. Nauwelijks waren we weer weggereden van de oude molen of de angst kroop in ons lijf en in ons hoofd. De haast en de inspanningen van de eerste twee nachten voelden we nu duidelijk. We vochten vanaf nu allemaal met onszelf. Met brandende spieren, met knieën die om hulp schreeuwden, met kramp in onze kuiten, krakende ruggen, blaren en zadelpijn.

Felix' zeilende huisapotheek werd het middelpunt van onze groep. Hij werd belangrijker dan de zeepkistbakkersfiets waarin onze voorraad eten zat. Nee, het was nog erger. Het eten had geen betekenis meer. Onze magen knorden niet meer als ze leeg waren. We aten wat ons werd voorgezet en we proefden al helemaal niet meer wat het was.

Zelfs toen Raban en Josje de beroemde Wilde Bende-worstjes in de pan lieten aanbranden, zo zwart als onze inktzwarte voetbalshirts, zelfs toen mopperden we niet. We krabden de verbrande buitenkant eraf en aten de schamele resten op. Toen rolden we ons in onze slaapzakken en wachtten tot het avond werd. Dat wil zeggen, diep in ons hart hoopten we dat het nooit meer avond werd. Want in het geheim wilde eigenlijk niemand meer verder.

We waren bekaf, we hadden geen kracht meer en we waren meer gehavend geraakt dan bij de Fox-Kids-Cup kampioenschappen. Alle heksen met jicht! Weet je dat nog? Toen had Felix een enkel die op een pompoen leek, en mijn schouder hing zowat op mijn heup. Hoe moesten we het in deze toestand winnen van de Beestige Beesten? Nee, we hoefden niet meer naar Eijsden. We hadden nu al verloren en we wilden weer naar huis. Maar daar wachtte Max' vader op ons, en de moeder van Raban. En die nam Edouard onder handen. Hij lag op de pijnbank. We hoorden en zagen hem schreeuwen alsof we erbij waren en daarom reden we door. Verder, steeds verder het Niets in.

De wereld verging. Van de derde geheime schuilplaats stond nog maar een halve, bouwvallige schuur overeind. Gelukkig hadden we Hadsjies tenten bij ons. Want op die dag begon het te regenen. Het regende 48 uur aan één stuk. Maar de tenten beschermden ons alleen maar als we sliepen. Dat was overdag. Zodra het donker werd, werden we nat. Onze regenjacks zogen zich vol alsof het sponzen waren. Ze plakten aan ons vast als natte papieren tafelkleden. En zo ging het ook met onze moed. En met onze kracht. Alles verdween. Onze wildheid sijpelde weg in de modderige grond. En wij bestonden niet meer. We hadden zonder strijd verloren. Zo sleepten we ons elke dag door de nacht.

Jojo schepte het water met een emmer uit zijn zeepkist. En en af en toe riep hij waar we waren.

'Die lichtjes daarginds, dat is Geldrop!'

'We komen zo dadelijk bij Nederweert!'

'De vliegtuigen zijn op weg naar het vliegveld in Beek, dat voor het gemak Vliegveld Maastricht wordt genoemd.'

'En straks komen we aan de Maas.'

Maar dat interesseerde ons eigenlijk geen bal. Voor ons was het zomaar een rivier, een stadje of een dorp, waar er nog vele van zouden volgen. Ze doken op uit de regen en verdwenen er weer in. We zouden ze ons niet meer herinneren. Onze vierde schuilplaats – als je die al zo kon noemen – waren we zelfs vergeten. Daarom kon het ons ook geen moer schelen toen Joeri op de ochtend van de vijfde dag met zijn vuisten op de schuilplaatszoeker en -vinder aan zijn stuur begon te rammen.

'Krakende krabbenpoten en kokende kippenkak!' vloekte het eenmans-middenveld. 'Jojo! Er is hier niets. Er is hier helemaal geen geheime schuilplaats. Hier stroomt alleen maar deze gillende krokodillenrivier!'

'Dat is de Maas,' zei Jojo. 'Dat heb ik uren geleden al geroepen.'

'En sinds dat moment – uren geleden dus – rijden we hier

maar een beetje doelloos rond!' Joeri sloeg zo hard op de navigatieautomaat dat het hem pijn deed. 'Au! Au! Kokende kippenkak! Doen jullie het verder maar alleen. Ik ben hier en ik blijf hier.'

Hij stapte van zijn fiets en liet zich demonstratief op de modderige grond zakken.

'En de tenten hoeven we ook niet op te zetten,' zei Joeri. 'Ik heb geen droge draad meer aan mijn lijf. En wat in mijn rugzak zit kan ik uitwringen.'

'Joeri heeft gelijk!' zei Fabi met een diepe zucht. 'Eigenlijk zouden we net zo goed in de Maas kunnen gaan slapen.' Ook de specialist in pootje lichten gaf het op. Hij ging naast Joeri op de glibberige grond zitten.

En toen Leon, zijn beste vriend, volgde, legden wij ons allemaal neer bij ons lot.

Het was over en uit. De Wilde Voetbalbende bestond niet meer en wat er nog van over was, zweefde in het Niets: in een grauwe soep van water en mist, want op deze ochtend werd het niet licht. Boven ons hingen de wolken. Ze hingen zo laag dat we ons hoofd introkken, maar de regen haalde de wolken nog verder naar beneden. De zijarmen van de Maas slingerden zich om ons heen. Ze draaiden kriskras in elkaar tot een onontwarbare knoop. We zaten in een doolhof van water en moeras en overal stegen flarden mist op van de grond: alsof ze regelrecht uit de keuken van de duivel kwamen, waarin vandaag de Wilde Bende werd gekookt.

We gingen naast onze fietsen zitten en zeiden geen woord. We wachtten en hoopten dat de mist ons zou opslokken. We baden dat we in het moeras zouden zakken en dat de rivier ons uiteindelijk in zee zou uitspugen. In de zee van Vergeten, de zee van Er-nooit-zijn-geweest.

Dan zou niemand zich ons kunnen herinneren. Niemand

zou nog weten wie de leden van de Wilde Bende waren. De Wilde Voetbalbende die nooit écht wild was. Niemand zou zich onze pijnlijke reis nog herinneren.

Ik voelde me leeg en willoos, als een levende dode. Ik voelde, rook of proefde niets meer. De regen ruiste naar beneden

als een grijs, saai, vormeloos gordijn. De regen veegde het laatste restje Marc uit mijn gezicht. Marc de onbedwingbare zat daar. Hij stierf met open ogen en de anderen stierven met hem.

Er kwam iets uit mijn ogen. Het liep met de regen langs mijn wangen. Het streek langs mijn mondhoeken en drupte op de grond, maar ik had zout geproefd. Het zout van mijn tranen en een eindeloze seconde lang geloofde ik echt dat dit de laatste tranen waren die ik nog had. Maar toen huilde ik al. Ik huilde tranen met tuiten en hoe meer ik huilde, hoe bozer ik werd.

'Alle krijsende kraaien!' fluisterde ik, maar ik kwam niet

boven de ruisende regen uit. Zelfs Jojo, die naast me zat, had me niet gehoord.

Ik balde mijn vuisten in mijn keeperhandschoenen. Ik drukte het water eruit.

'Walmend heksenzweet!' riep ik en nu keek iedereen me verrast aan. Verrast, maar ook volledig machteloos en doodmoe.

'Shit!' riep ik. 'Dit wil ik niet, horen jullie? Ik geef niet op! We hebben nog een kans!'

Ik sprong woedend op. Bliksemflitsen schoten langs de hemel, gevolgd door een woedende donderslag. De anderen doken angstig in elkaar. Rocco greep de zak met de vleermuisvleugel beet. Hij dacht vast dat de grote dondervogel zich op hem zou storten. Maar daarin vergiste hij zich. Dat wist ik en ik voelde het diep in mijn binnenste.

'Snappen jullie het niet?' riep ik. 'We kunnen de regen verdrijven. Dat hebben we al een keer gedaan.' Ik stak mijn vuist in de lucht. 'We hoeven alleen maar woedend te zijn! Zo woedend als...'

Bliksemflitsen schoten uit de hemel en werden door donderslagen verjaagd.

'Zo woedend als, als... eh... alle heksenetende duivels!' riep ik en ik lachte zo hard ik maar kon. 'Kom op! Waar wachten jullie op? Waar zijn jullie vloeken gebleven? Ik hoor niets.'

Ik lachte naar mijn vrienden. Maar voor ze mij konden antwoorden, werden ze onder een lawine van donderslagen bedolven.

'Laat het ophouden, alsjeblieft!' smeekte Raban.

Josje stopte zijn vingers in zijn oren.

'Monsterkoeienvlaaien-met-strontvliegen!' fluisterde hij en hij deed het van angst bijna in zijn broek. 'Marc...' Hij wilde me waarschuwen.

Op dat moment sloeg de bliksem in een houten paal. Hij spleet de paal van boven tot onder in tweeën en stak hem in brand als een lucifer.

'Marc!' schreeuwde Josje alleen maar.

Het werd hier langzaam maar zeker heel gevaarlijk. De brandende paal stond zo'n zeven meter van ons vandaan.

'Kom, mensen!' riep Willie. 'Wegwezen hier!' Hij sprong op zijn brommer en startte hem. 'Kom op!' riep hij. Maar wij piekerden er niet over. En met 'wij' bedoel ik in dit geval Josje en ik.

'Marc,' riep ons geheime wapen verbaasd. 'Moet je zien! Die paal! De mist trekt op!'

'Ja,' zei ik tevreden. 'En weet je waarom?'

De kleine jongen keek me ongelovig aan. 'Ik niet,' zei hij, 'misschien, eh... misschien vanwege die monsterkoeien-vlaaien?'

'Bingo! Jij snapt het!' zei ik grijnzend. 'We moeten ons niet laten kisten! En als we nu allemaal willen dat de mist verdwijnt, dan verdwijnt 'ie helemaal. Let maar op! En de regen houdt ook op. Daar durf ik mijn keeperhandschoe-nen voor in het vuur te leggen.' Dit was natuurlijk pure bluf van mij.

'En de bliksem en de donder dan?' vroeg Rocco. 'Hoe zit het daarmee?'

'Die horen bij ons. Die helpen ons alleen maar!' Ik lachte, en meende het oprecht. 'Kom op! We hebben ons nu al drie dagen verstopt.'

Rocco haalde diep adem. 'Bij de laatste vinger van mijn piranha-tandarts!' fluisterde de Braziliaan. Dit leek nauwe-lijks meer op een vloek. Maar het werkte onmiddellijk. Een bliksemflits trok de wolken aan de horizon open en liet ons een stuk blauwe lucht zien.

'Bij Ali Baba van Istanboel!' Deniz de Turk geloofde niet wat hij zag.

Het stuk blauwe lucht werd groter en groter.

'Alle brakende beren!' Zelfs Raban verloor zijn angst. Hij veegde die angst met zijn mouwen van zijn jampotbril en keek uitdagend om zich heen. 'En ik ga een grizzlybeer knuffelen en zijn hele familie erbij, als dit rotweer niet eindelijk ophoudt!'

En na hem sloegen Leon en Fabi aan het vloeken. En Joeri en Jojo, Felix en Max, Vanessa en... nee!

Annika zei niets.

Daar kwam bij dat de halve hemel al blauw was. Recht boven ons hingen nog een paar donkere wolken.

Vanessa siste: 'Ik trek nog liever een balletrokje aan dan dat ik verlies van de Beestige Beesten!' En een fractie van een seconde leek het of het begin van een regenboog aan de hemel verscheen.

We hadden al bijna gewonnen. Het regende geen pijpenstelen meer. Het was motregen geworden. We moesten nog één scheldwoord bedenken, dan hield de regen op. Maar Annika staakte. Ze zei geen woord.

'Krakende krabbenpoten!' schold Fabi en Raban stond van woede te stampvoeten in de drassige grond.

'Schiet op, Annika!' Hij wriemelde aan zijn kurkentrekker-kapsel. 'Anders komt die regen weer terug!'

Maar Annika schudde hulpeloos haar hoofd. 'Dat kan ik niet,' zei ze. 'Heb ik nooit gekund.'

De wind kwam weer opzetten. De wolken zetten zich in beweging. Het regende opnieuw pijpenstelen.

'Dat moet je dan maar leren,' zei ik zachtjes en ik schudde haar aan haar schouders. 'Verzin een scheldwoord, Annika, anders moet Vanessa een balletrokje aantrekken.'

'En ik,' zei Raban, 'ik moet een grizzlybeer knuffelen en zijn hele familie erbij!' Rabans wangen werden even rood als zijn haar.

Annika slikte. Ze slikte en beet op haar tong. 'Au! Het spijt me,' fluisterde ze. 'Ik kan het niet! Ik...' Ze veegde de tranen uit haar ogen. Toen duwde Rocco haar zachtjes op de grond.

'Natuurlijk wel! En of je dat kunt,' riep hij. 'Je kunt woedend zijn. Je hebt het alleen nog niet echt geprobeerd.'

Hij trok haar omhoog en duwde haar weer naar beneden. Annika viel met haar gezicht in de modder.

'Kom!' riep Rocco. 'Het is net als boksen, alleen sla je nu met woorden.'

'Maar dat kan ik niet,' protesteerde Annika. 'Ik krijg zulke woorden niet over mijn lippen!'

'Wat voor woorden?' riep Rocco spottend.

'Woorden die jij zegt, of Raban of Leon!'

'Je bedoelt zoiets als caviakak, dampende duivelsdrollen of stinkende apenscheten?'

Annika knikte wanhopig en de regen werd storm.

'Oké!' zei Rocco. 'Wat jij wilt. Gebruik dan maar de woorden die je wel kunt zeggen.'

Ze keek hem boos aan.

'Toe dan! Schiet op, anders hoor je vanaf vandaag niet meer bij ons.'

Annika knipperde geschrokken met haar ogen.

'En bij mij hoor je dan ook niet meer,' legde Rocco er nog een schepje bovenop. 'Ben ik duidelijk?'

Je begrijpt natuurlijk dat Rocco alleen maar wilde dat Annika woedend werd. Want dan zou ze misschien wel vloeken kunnen vinden.

Annika knikte. De tranen rolden over haar wangen en vermengden zich met de regen op haar gezicht. Het liefst was ze weggerend. Maar ze dwong zichzelf om te blijven. Ze knikte. Ze veegde de modder van haar gezicht en balde haar vuisten.

'Oké!' knikte ze. Ze stond langzaam op. 'Oké. Ik zeg jullie nu het ergste woord dat ik ken. Een woord dat alleen maar voor mijn grootste vijanden bestemd is.'

Ze haalde diep adem. Haar borst zwol. Ze rechtte haar rug en haar ogen werden smalle spleetjes. 'Maar pas op als jullie lachen!' waarschuwde ze ons.

Nu was het stil. Zo stil als vóór een allesbeslissende wedstrijd. Het enige wat we nog hoorden, was het ruisen van de regen en Annika's ademhaling. Tja en toen, toen sloeg de drakenrijdster toe: 'Konijnenwatjeskwastkont!'

Ze zei het heel vlug, maar heel ernstig. Doodernstig. Wij keken elkaar fronsend aan.

'Konijnenwatjeskwast-wát?' vroeg Josje. Hij hield voor de

zekerheid zijn buik al vast. Hij proestte het bijna uit van het lachen.

Raban ook. 'Josje! Hoorde je dat? Konijnenwatjeskwastkont...' proestte hij het uit. Op dat moment flitste de bliksem en rolde de donder als op de dag van het laatste oordeel.

Boven ons schitterde een regenboog en de wolken verdwenen in het westen. De grond zoog de mist op en de laatste drie regendruppels die op Annika's haar vielen, schitterden als diamanten.

'Wauw!' fluisterde Rocco.

Stomverbaasd keken we naar de schuur die plotseling achter Annika opdoemde. De mist had hem de hele tijd voor ons verborgen gehouden.

'De geheime schuilplaats!' riep Leon enthousiast. Hij rende erheen, rukte de deur open en... belandde met een boog in het hooi. Even later verscheen hij in de deuropening. 'En alles is kurkdroog. Kokende kippenkak!'

Hij lachte en wij lachten allemaal mee.

'Bij alle natte papieren zakdoekjes!'

'Terro-toeristische fluwelen handschoen!'

'Vilten pantoffelheld met drie benen!'

'Koffie verkeerd met smulslagroom!'

We lachten. We hingen onze spullen uit om te drogen. Toen kropen we allemaal in het hooi. Ik hoorde nog hoe Rocco aan Annika vroeg hoe ze aan zo'n fán-tás-tische vloek kwam. En ik hoorde het antwoord van Annika.

'Toen ik vier was,' zei ze tegen Rocco, 'moest ik naar het kindercarnaval. En mijn moeder was dol op konijnen. Dus kreeg ik een konijnenpakje. Maar toen ik daar aankwam, waren alle jongens en meisjes als ridder verkleed. En ik had als enige zo'n stomme kwast op mijn kont. Van watjes. Vreselijk!'

Dat hoorde ik nog en toen sliep ik in. Mijn mobiel ging over, maar ik hoorde hem niet. Tevergeefs verscheen de mededeling op het display: 'Nieuw bericht van Edouard, de pinguïn'.

Zorgeloos in de luchtballon
en een salto mortale
op de trampoline

We sliepen als op wolken van konijnenwatjeskwastjes. En toen we laat in de middag weer wakker werden, vloog er een helikopter over onze schuur.

'Willie! Pas op!' schreeuwde Leon meteen. 'Je moet je verstoppen!'

Maar Willie bleef zitten waar hij zat. Hij had weer ergens anders geslapen en nu stond hij daar, recht voor de schuur en keek hij naar boven naar de helikopter. Die draaide met een grote boog om en keerde terug.

'Willie!' riep Leon terwijl hij naar de trainer rende. 'Wat moet dat? Wil je misschien mijn zakdoek lenen? Daar kun je lekker mee zwaaien. Dan zien ze je in elk geval!'

De slalomkampioen trok Willie naar de veilige schuur en de tráiner Willie zou meteen meegegaan zijn. Maar de Willie die vanmiddag wakker was geworden, verzette zich nu met hand en tand. Hij wílde dat de helikopter ons ontdekte. En dat zou ook zeker gebeuren. Daar hadden we geen zakdoek voor nodig. Want een jongen in een voetbalbroek die een man in een krijtstreeppak meetrekt, valt natuurlijk meteen op. Vooral als de helikopter van de politie is, die op zoek is naar een voetbalteam dat ervandoor is gegaan. Krakende krabbenpoten! Als je het mij vraagt zijn er maar weinig dingen die nog méér zouden opvallen. Of het zou een klein meisje moeten zijn dat, verkleed als konijntje met een dot watten op haar billen, rondloopt op een riddertoernooi...

Dampende duivelsdrollen! Nu schoot het me te binnen. Vanmorgen had Annika Rocco dat verhaal verteld en toen ik insliep had ik toch nóg iets gehoord? Een geluid van een mobiel? Nerveuze nijlpaarden! Een sms, een bericht van Edouard! Ik keek op mijn mobieltje en drukte op de knop: 'Hallo, stelletje wilden! Heb alle martelingen hier overleefd. Max' vader gaat vandaag naar Denemarken en Rabans moeder naar de Ardennen. Jullie kunnen nu overdag rijden en beloof me één ding: schiet die Beestige Beesten niet naar de maan. Schiet ze maar meteen de hel in!'

De politiehelikopter vloog nu naar ons toe en Willie pakte de hoed van zijn hoofd. Hij rukte zich los van Leon die nog steeds zijn arm vasthield. Willie wilde met zijn hoed gaan zwaaien. Maar ik schoof naast de trainer en ik pakte de hoed.

'Laat mij maar zwaaien, Willie!' zei ik rustig. 'Laten we allemaal zwaaien. Toe maar!' lachte ik. 'Ik heb een sms van Edouard gekregen. We worden helemaal niet gezocht. We hoeven ons niet te meer verstoppen!'

Ik danste en sprong rond in het gras en alle leden van de Wilde Bende dansten met me mee. We maakten een kring om Willie heen. We dansten de angst weg uit onze lijven en uit onze zielen. En we zwaaiden zo lang naar de helikopter tot die een looping boven ons maakte. De motoren van de heli maakten een hoop lawaai en daarna onze magen ook. Ja,

inderdaad. We hadden weer honger. Een verschrikkelijke berenhonger! En het had weinig gescheeld of we waren van honger omgekomen als Felix en Jojo ons niet eindelijk hadden geroepen voor het avondetenontbijt. We kregen pannenkoeken! Goudbruin en dampend heet. We aten er een hele berg van en daarna bakten Felix en Jojo nog een berg. Pas om half twaalf 's avonds hadden we genoeg gegeten, en het was al na middernacht toen we eindelijk opbraken. Maar dat maakte ons niet uit. We hadden nu de tijd. We hoefden ons niet meer te verstoppen. We konden nu overdag rijden. Het was nog zo'n 75 kilometer en dan waren we er. En dan hadden we altijd nog een hele dag de tijd om uit te rusten voor de wedstrijd. De wedstrijd waarin we de Beestige Beesten naar de hel moesten schieten. Zoals Edouard het wilde. En daar dacht Annika aan toen ze die avond onze vierde geheime schuilplaats inspecteerde.

De schuilplaatsvinder bracht ons naar een oude fabriek. In tegenstelling tot de vorige schuilplaatsen leek de fabriek niet

vervallen te zijn. Kokende kippenkak! Dat had ons moeten waarschuwen! Na de afgelopen dagen kwamen we weer een beetje in bewoond gebied. Ik bedoel in een land dat door een wilde *gang* werd bewoond, door de Beestige Beesten om precies te zijn. Maar we letten niet op de waarschuwing. We waren te zeker van onszelf. Ja, we voelden ons daar al bijna thuis.

De oude fabriek leek een beetje op de fabriek waarin Annika boksles had. Er fladderden zelfs zwarte kraaien rond het gebouw.

De geheime ingang had een fantastisch mechanisme. Heteluchtballons trokken ons in oude liftschachten naar boven, naar het platte dak. Daar sprongen we op een trampoline. We maakten salto's over de daken. We doken een binnenplaats in, op metersdikke matten van schuimrubber. En toen we daar weer uit opdoken, klommen we alle trappen op naar een enorme zolder. Er hingen hangmatten aan de zoldering. Ze waren zo groot als de kamers bij ons thuis. In elke hangmat lag een dikke matras. Onder de hangmatten lagen voetballen en er stond een halfpipe. Blijkbaar woonden hier mensen.

Maar dat interesseerde Annika niet. Ze keek naar de nissen die om de vijf meter in de muren van de zolder zaten. De nissen waren zo groot als een squashveld. Dat bracht Annika op een idee. 'Ik denk dat het tijd wordt dat we weer eens trainen,' zei ze. Ze grijnsde uitdagend naar ons. 'Tenslotte willen en móéten we overmorgen winnen, en dan is een partijtje voetbalsquash helemaal niet zo gek. Ik bedoel, als afwisseling voor de bijna tweehonderd kilometer op het zadel...'

'Bij alle vlie-hiegende tapij-hijten!' riep Deniz enthousiast. 'Da-hat is het eerste goede idee sinds dagen. De winnaar blijft automatisch op het veld.' Hij pakte een bal en liep naar

Annika. Ze stond voor een van de nissen. 'Mogen we de bal twee of drie keer aanraken?' vroeg de Turk.

'We spelen direct!' kwam haar nuchtere antwoord.

'Wat zeg je?' Deniz slikte. 'Da-hat kan toch niet?'

Maar Annika deed of ze Deniz niet hoorde.

'En verder,' zei ze, 'gelden ook de andere regels van squash. Alleen degene die schiet maakt punten, en degene die bij vijftien minstens twee punten voorstaat heeft gewonnen.'

Deniz knikte. 'Da-hat gaat goed. Maar dat directe spel kun je vergeten. Daarvoor worden de ballen te snel en is de rui-huimte te klein. Veel te...'

'Laat dan maar zitten!' riep de drakenrijdster boos. Haar blik was er een van pure minachting. Ze had net de deur dichtgedaan.

'Nee! Vergeet het maar,' counterde de locomotief. Hij schoot de bal uit de hand. 'In tegenstelling tot jou wee-heet ik wat er op jou gaat afkomen.'

De bal knalde tegen de achterwand, schoot naar Annika's kant terug, sprong op de grond en vloog naar het lege gat tussen de zijmuur en Annika. Het meisje had helemaal geen plaats meer om te schieten. Deniz stak zijn vuist al in de lucht. Hij had het eerste punt al bijna binnen. Annika draaide haar rug naar de bal. Bliksemsnel. Ze tilde haar hiel op en liet de bal rustig doodvallen. Hij vloog tegen de zijwand en trok Deniz achter zich aan. De bal sprong richting achterwand, zodat Deniz duizelig werd toen hij probeerde hem te volgen. Daarna stuiterde de bal een paar keer op de grond.

'Suizende slingerapen!' schold de Turk. Hij probeerde de bal met een zijwaartse volley over de rechterschouder en de linkerzijmuur via de achterwand terug te spelen. Maar zijn linkervoet schoot in de leegte en hij knalde in plaats daarvan op zijn kont.

Annika keek hem grijzend aan en zei: 'Je wist toch wat er op je af zou komen?' En voor Deniz kon antwoorden, pakte ze de bal en schoot hem knalhard tegen de muur.

Deniz sprong op en mompelde iets wat klonk als: 'Anatolische dwergpoedel!' Hij trok zijn linkerbeen op, volgde met de sterkere rechtervoet en stuurde zijn antwoord op Annika's opschepperij met een echte omhaal terug. Het schot was perfect. Het leer sloeg met mega-machtige-monstersnelheid richting Annika en die had deze keer nog niet eens tijd haar hiel op te lichten. Maar dat hoefde ook niet. Ze vloog namelijk al. Ze vloog de bal tegemoet en kopte hem met een torpedo-stormram-kopbal over Deniz heen tegen de achterwand, zodat de bal na de botsing recht op zijn hoofd terugschoot. De bal was uit.

'Eén-nul!' was Annika's droge commentaar, maar toen grijnsde ze uitdagend. 'Maar dat had je natuurlijk wel zien aankomen.'

Deniz' hoofd werd vuurrood.

'Gek word ik van jou, Annika,' fluisterde hij woedend. 'Rocco, die vriendin van jou is behekst!'

'Dat zullen we nog wel eens zien!' lachte de tovenaar, en terwijl wij ons achter het voetbalsquashveld als toeschouwers opstelden, wisselde Rocco met Deniz.

'Ik hoop dat je je balletrokje bij je hebt,' grijnsde de Braziliaan. Een rij hagelwitte tanden werd zichtbaar. 'Want dat zul je nodig hebben. We gaan dansen.'

'Precies,' zei Annika. 'Nu dansen we de samba. Daar ben je toch zo dol op, of niet?' Ze lachte stralend. En toen donderde ze haar bal tegen de muur en het leer sloeg Rocco zo hard om zijn koperkleurige oren dat horen en zien hem verging.

'Twee-nul!' telde het blonde meisje.

Ze gooide haar lange haar naar achteren en toen moest de zoon van de Braziliaanse voetbalgod ook nog 3-0 en 4-0 weerloos verdragen.

'Jammer,' zuchtte Annika. 'Ik geloof dat we het dansen vandaag wel kunnen vergeten.' Ze draaide zich naar ons, toeschouwers, om. 'Jullie gaan je voetbal-ontwende billen bewegen in de andere nissen, en eindelijk doen wat ik elke dag doe op de boksschool: trainen!' Ze keek Rocco en Deniz aan met een aanmoedigende blik. 'Nou, waar wachten jullie nog op? Of dachten jullie dat ik dit allemaal vandaag pas geleerd heb? Nee, we voetbalsquashen elke dag om onze snelheid te verbeteren.'

De locomotief en de tovenaar glimlachten duidelijk opgelucht, maar voor Annika was dat weer iets té opgelucht.

'En dat moeten jullie dus ook doen!' riep ze tegen haar twee verslagen tegenstanders. 'Ik heb het over snelheid. Niet over de elegante traagheid van Braziliaanse en Turkse slakken.'

127

'Ho! Ho! Wacht even!' protesteerde Deniz, maar Rocco legde een hand op zijn schouder.

'Laat haar maar, Deniz!' zei hij gelaten. 'Bij hoge uitzondering heeft ze in dit geval gelijk.' Hij keek haar aan. 'Maar we trainen tot we zo snel zijn dat ze ons niet eens meer ziet. En copacaramba, dat gaat lukken, al duurt het honderd jaar!'

'Alle vlie-hiegende tapij-hijten!' grijnsde Deniz, alsof de honderd jaar al voorbij waren.

Toen renden we weg om ballen te halen. We stelden ons – telkens met zijn tweeën – op in de nissen. En toen trainden we: Leon en Fabi, Marlon en Max, Felix en Joeri, Annika en Vanessa, Raban en Josje, Deniz en Rocco, en Jojo en ik. We hadden helemaal niet het gevoel dat we de afgelopen dagen bijna 125 kilometer gefietst hadden. Nee, het leek eerder of we fris terugkwamen van de vakantie met onze ouders. We trainden tot vroeg in de ochtend en als Willie niet alwéér ergens anders had geslapen, zou hij – kokende kippenkak! – apetrots op ons zijn geweest. Pas toen het licht werd en de vogels al floten, klommen we in de hangmatten en vielen ter plekke in een oceaandiepe, droomloze slaap.

Het ging goed met ons. Na het sms'je van Edouard voelden we ons helemaal zeker. We wisten allang niet meer dat we ook wapens hadden, de wapens van Hadsjie ben Hadsjie die Deniz nooit wilde gebruiken. En daarom wisten we ook niets van de twee gestalten die al uren op het dak zaten. Ze bekeken ons door een van de bovenlichten en zagen eruit als piraten. Als piratenliefjes, liever gezegd. Ze leken van die types die hun kapiteins overboord gooien omdat ze wilder zijn dan zij. Wilder en leuker, ahum, maar dat speelde op dat moment absoluut geen rol.

'Ze zijn zelf in de val gaan liggen,' grijnsde de jongste van de twee. Ze was misschien vijftien. 'We moeten de hangmat-

ten dichtbinden en optrekken.' En alsof ze de simpelheid van haar plan wilde onderstrepen, liet ze met haar handpalm een van haar skateboardwielen draaien. 'Daar komen ze nooit meer uit.'

'Weet ik,' knikte de oudere aanvoerster.

Maar toen schudde ze haar lange donkerbruine haar. Het was gevlochten in misschien wel honderd vlechtjes en vloog nu rond haar hoofd en schouders. 'Maar ze slapen, en daarom zou dat gemeen zijn.'

'Sinds wanneer maken we ons daar druk over?' grijnsde het jongere meisje.

'Sinds daar beneden een stelletje is opgedoken dat de Beestige Beesten misschien ooit verslaat.'

'Hmm,' mompelde de jongere. 'Maar zo ver zal het niet komen. Dat weet jij ook wel. Als wij ze niet pakken, doen She-Man en Bulldog het wel.'

'Die sukkels?' De oudere van de twee keek haar vriendin fronsend aan. 'Nee, dat geloof ik niet.'

'En als je je vergist? Dat daar zijn jongens!'

'Nou, lieve Scarlett,' zuchtte het meisje met de honderd vlechtjes. 'Dan hebben ze niet beter verdiend.'

Ze sprong op haar skateboard en rolde weg. Scarlett, of Scarlett de Boze, zoals ze eigenlijk heette, wierp nog een laatste, minachtende blik op ons, de slapende Wilde Bende. Toen reed ze achter haar vriendin aan.

Maar wij sliepen door tot laat in de middag. Pas toen stonden we op. We vonden Willie bij onze fietsen. Hij was de campinggasjes aan het installeren. Jojo en ik maakten macaroni met kaas en ketchup, en Fabi en Leon wasten mopperend af. Het was ze bijna gelukt eronderuit te komen.

Daarna reden we weg.

In het Dal van de Lange Messen

De laatste etappe was als een uitje op een zonnige zondag in de zomer. We praatten en zongen. We vertelden elkaar over onze overwinningen. We lachten om onze nederlagen, hoewel ze ooit verschrikkelijk pijn deden. Maar niemand van ons dacht eraan dat we ook hier misschien een nederlaag konden lijden. Of wat nog veel erger was: dat we verraden zouden worden en in een val werden gelokt, in een verraderlijke hinderlaag. Nee, daar dacht niemand van ons aan. Daar waren we veel te veel een voetbalteam voor, en daar ging het hier toch om: we móésten van de Beestige Beesten winnen. Daarom schoven we alle voorzichtigheid aan de kant.

We keken om naar onze trainer. Die tufte nu al dagen op zijn brommer achter ons aan en al die dagen had hij geen woord meer gezegd. Zelfs 's morgens kregen we alleen maar een hoofdknik van hem. En 's avonds deed hij helemaal niets. Dan verdween hij gewoon ergens anders heen, het donker in.

'Hé, Willie!' riep Max. 'Ben je je tong verloren? Dan moesten we je eigenlijk een horrorgriezelnacht cadeau geven.' In zo'n nacht, door Marlon georganiseerd, had de jongen met het hardste schot ter wereld zijn stem teruggevonden. Zijn stem en het Drievoudige M.S. Maar dat is een ander verhaal en als je het nog niet kent, moet Max het je maar een keer vertellen.

Willie zag er nu niet uit alsof hij naar een horrorgriezelnacht verlangde. Zijn gezicht was net zo verkreukt als zijn krijtstreeppak en zijn stoppels waren uitgegroeid tot een echte grijze baard.

'Ik heb nog eens nagedacht,' zei de beste trainer ter wereld. 'Het schot waarmee die bal van de Beestige Beesten in Marcs kamer geknald werd was drie keer zo hard als een Drievoudig M.S.'

'Dank je wel!' mopperde Max 'Punter' van Maurik. 'Jouw manier om ons te motiveren is werkelijk heel bijzonder.'

'Sidderende kikkerdril!' spotte Marlon. 'Het is jammer dat je geen therapeut geworden bent, Willie!'

'En wat voor eentje! Daar moeten we een cola op drinken, mannen! Dankzij Willies hulp en steun hebben we het gehaald tot...' Fabi kneep zijn ogen half dicht en las de naam op het bord voor. '...tot Eijsden.'

Een moment lang was het stil.

Maar toen drong het tot ons allemaal door.

'Alle nerveuze nijlpaarden!'

'We zijn er, man!'

'Krijg nou wat! Dit is dus Eijsden onder Maastricht.'

'Bij de sambadansende pelikaan!'

We keken elkaar stralend aan. We voelden ons als een karavaan die na een wekenlange tocht door de woestijn eindelijk een oase aan de horizon ziet. En zonder te weten of het misschien toch niet een fata morgana was, trokken we aan de touwen van onze turboblastervliegwielaandrijving en raceten suizend en fluitend dwars door de stad. De mensen op straat krompen ineen toen ze ons zagen. Ze durfden nauwelijks meer adem te halen toen wij, helemaal in het zwart, op de krankzinnigste fietsen als een zwerm *aliens* aan hen voorbijschoten.

Maar zodra we voorbij waren, duurde het geen half uur of

iedereen in het stadje wist dat we er waren. Iedereen, ook de Beestige Beesten, en iedereen die daarbij hoorde of er op een of andere manier mee te maken had. Het deed er niet toe hoe gevaarlijk, geslepen, achterbaks, gemeen of suf en stom ze waren. En ik zeg je één ding: suf en stom is vaak het geniepigste en gevaarlijkste wat er op de wereld bestaat.

Maar daar dachten we niet aan. We waren trots, apetrots, en superblij en opgelucht dat we Eijsden hadden gehaald. En dat moest iedereen weten, vonden wij. En dan vooral de Beestige Beesten. Ze moesten sidderen van eerbied en angst. En ze moesten zich er al op voorbereiden hoe het zou voelen als ze na die stomme grote-bek-opschepperige uitdagingsbrief als verliezers van het veld moesten sluipen.

We raceten door en kwamen bij de Maas. We vlogen over een brug en doken in de daarachter liggende weilanden.

We waren stomverbaasd. Alle dampende duivelsdrollen! We hadden er bijna tweehonderd kilometer op zitten. En toen... na al die zware dagen, zag het er in Eijsden precies hetzelfde uit als bij ons. Shit! Snap je me niet? Ik heb het over de weitjes, de weitjes langs de rivier. Of weet je dat ook al niet meer? Op net zo'n wei hadden we getraind. Toen, voor Pasen, toen het om de Duivelspot ging. We moesten Dikke Michiel en zijn Onoverwinnelijke Winnaars verdrijven van wat toen nog ons veldje was, de Duivelspot. Dat was ons ten slotte ook gelukt. En daarom besloten we nu op deze wei onze tenten op te slaan. Deze wei leek ons even vertrouwd als de wei thuis. Het was een goed voorteken. Dat wisten we zeker. En morgen konden we dan nog de hele dag trainen voor de wedstrijd die tegen de avond gespeeld zou worden.

Dus waarom zouden we doorfietsen? Wisten wij veel dat deze wei niet was wat wij dachten. We zagen niet dat de wei een wolf in schaapskleren was: een verklede steppe. Ik bedoel de steppe met de R.V.B.G's (Ratten Van Buitengewone Grootte) en de donkere, onheilspellende Graffiti-torens. Nee, dat wisten we niet. Onze navigatieautomaat (voor het zoeken én vinden van geheime schuilplaatsen) leidde ons ook nog naar het eeuwige vuur dat – in een kring van stokoude bomen verstopt – als een natuurlijk kampvuur op de wei brandde. Toen voelden we ons net zo veilig als de indianen op de prairie, voor Christoffel Columbus zelfs maar aan Amerika dácht.

We sloegen onze tenten op. De Wilde Bende-worstjes draaiden aan het spit boven het vuur. En deze keer werden ze knapperig en bruin. We aten tot onze buiken rond waren. We dronken de laatste tien flesjes cola op alsof het kostbare wijn was. We keken naar de vonken die de nachtelijke hemel in dwarrelden. En we vonden het cool toen de hemel als antwoord een vallend sterretje stuurde.

'Een vuurdraak die vallende sterren uitspuugt!' fluisterde Raban dan steeds. Hij deed zijn ogen dicht achter zijn jampotbril. In stilte deed hij een wens.

'Ja,' zei Josje met een zucht, 'dit is pas wild.'

'En zo kan het blijven!' zuchtte Vanessa.

Ze rekte en strekte zich en toen legde ze haar hoofd op Marlons buik alsof hij haar lievelingskussen was. Marlon liet een harde boer van schrik, maar hij glimlachte wel. En hoewel zijn zomersproeten op dat moment vuurrood werden, liet hij Vanessa rustig haar gang gaan. Hij vond het zelfs fijn. En toen hij zeker wist dat niemand het merkte, streek hij Vanessa door haar haar!

'En zo zál het blijven!' zei hij met een glimlach en we dachten allemaal hetzelfde: wij zijn het wildste voetbalteam ter wereld! En daarop zijn we echt trots. Trots, voldaan en verschrikkelijk moe.

We gaapten als reuzenslangen die een olifant verzwelgen.

We kropen in onze tenten.

We rekten ons uit als beren voor de winterslaap.

We deden onze ogen dicht.

We voelden dat we wegzonken in het rijk van de dromen...
En toen vielen ze aan!

'Ruk als eerste de tentstokken eruit!' schreeuwde een stem
die klonk alsof iemand spijkers uitspuwde.

Ik werd wakker. Jojo, die bij me in de tent lag, ook.

'Wat is dit?' riep hij geschrokken. En toen stortten de tentstokken boven ons in.

'Goed, Bulldog!' schreeuwde de spijkerstem. 'Pak nu de lij-
nen. En snoer ze dicht. Verpak ze in hun tenten en dan op de
wagen ermee!'

Alle donderende duivelsvloeken! Naast ons schreeuwden
Raban en Josje om hulp. Leon brulde van woede. Maar tevergeefs. Hij kon niets doen. Voor we uit onze slaapzakken kwamen, grepen handen naar ons. Handen die zo groot waren als
wieldoppen. Ze rolden en snoerden ons in onze tenten in.
Daarna gooiden ze ons op een wagen. Daar lagen we dan, als
vissen op het droge, met grote ogen en open monden. We
konden niets zien. Ons hart klopte in onze keel en we konden ons niet meer bewegen.

'Joeri!' fluisterde Josje. 'Joeri! Waar ben je?'

Daar was de spijkerstem weer: 'Ho ho!' klonk het spottend.
'Horen jullie dat? Die jongetjes doen het in hun broek van
angst.' De stem lachte en met die stem lachten zeven andere
wezens mee. 'Maar ik geloof dat ze geen flauw benul hebben
waar ze eigenlijk zijn.'

De wezens om ons heen lachten nog harder. Ze lachten
zoals krokodillen zouden lachen als ze dat konden.

'Nou, dan heten we jullie van harte welkom.' De spijkerstem hikte van plezier. 'Jullie zijn in het Dal van de Lange Messen. En omdat we niet willen dat jullie zo bang zijn, brengen we jullie nu naar huis. Naar huis, naar ons dus!' giechelde de stem, maar het giechelen klonk koud en dreigend.

'Kom op! We gaan!' riep de stem tegen de krokodillen.

Die stortten zich op de wagen en duwden en trokken ons voort.

In de kolenmijn

De rubberbanden reden hobbelend door de wei. We lagen als een berg aardappelzakken te schudden op de wagen. Jojo en ik lagen wang aan wang. Zo vast hadden ze ons in onze tenten gerold. Ik voelde Jojo's polsslag tegen mijn slapen en ik voelde hem woedend worden toen de wagen wegreed.

Drie snelle hartslagen lang was het doodstil. Het leek of we zweefden. De banden zoefden bijna geluidloos over asfalt. Toen helde de wagen. We reden snel bergafwaarts en de krokodillen konden ons bijna niet meer houden. Glasscherven knersten onder de wielen alsof er beenderen werden verpletterd.

'Hazenlip en Bijter!' riep de spijkerstem. 'Poort open!'

IJzeren kettingen rammelden op de grond. Poortdeuren piepten in verroeste scharnieren. De wagen rolde over ijzeren platen weg. IJzeren platen waaronder vast het donkere Niets gaapte. De wereld trilde om ons heen en dreigde helemaal in te storten toen de wagen tegen een stalen wand botste.

SSSJJJRAPP! RAPP! PP-TOENK!

De donderslag verdoofde onze oren. We lagen daar en voelden ons volledig machteloos. We waren doodsbang. Onze angst was als een leger kakkerlakken die met ijskoude, krabbende poten langs onze rug naar beneden gleden. De worstjes en de cola rommelden in onze buik. Ik dacht alleen maar:

Jojo, alsjeblieft niet overgeven! Toen sloegen de krokodillen de roestige poortdeuren dicht. De ijzeren kettingen werden door de tralies getrokken. We hoorden hoe ze met hangsloten dicht werden gemaakt. Toen zoemde en kraakte het, net als bij de hefboom van onze lichtinstallatie. Maar geen lamp sprong aan. Integendeel. Onze maag trilde. Hij krampte samen en beleefde wat gewichtloosheid en vrije val heet. Want in de volgende fractie van een seconde stortten wij met de snelste lift ter wereld meer dan duizend meter de diepte in.

Diep in de hel of waar we ook waren, duwden de krokodillen ons een ruimte binnen. Ze trokken ons van de laadbak. Ze gooiden ons in de modder. Er ging licht aan. Maar ik wist niet of ik wel wilde zien wie er in deze wereld heerste. Ik bedoel, wie wil zijn ogen opendoen als hij in de hel is beland?

Toen schreeuwde de spijkerstem het volgende bevel: 'Sjang-haai!' riep de stem. 'Laat onze gasten eens zien waar ze zijn.'

'Yo!' gilde Sjang-haai.

'Snrrr!' snorde een andere krokodil. 'Maar snijd niet hun neus eraf.'

'Nee, Bulldog, nog niet!' riep Sjang-haai.

'En ook niet hun oren.'

Op dat moment werd er een schaar door het tentdoek gestoken. Hij ging rakelings langs mijn oor, sneed een gat in het zeildoek en toen trok Sjang-haai de hoofden van Jojo en mij door de opening heen.

Ik knipperde tegen het licht. De reusachtige lampen aan het plafond verblindden me en het duurde tot Sjang-haai de zevende tent had opengesneden en de hoofden van Raban en Josje verschenen, voordat ik iets anders kon zien dan alleen maar fonkelende punten.

'Hohoho!' hikte de spijkerstem. 'Moet je die kereltjes zien. Wat zijn ze bang!'

'Snrrrr!' snorde Bulldog en ze maakte een smakkend geluid. 'Ik denk dat zij denken dat wij denken dat we ze willen opvreten.'

'Ja ja! Smak! Smak!' riep een krokodil met een hazenlip. 'Dat zou ik ook denken. Nou, She-Man, denk ik dat?'

'Nee, Hazenlip! Dat denken we niet,' verklaarde de spijkerstem. Het klonk opeens warm en vriendelijk. Alsof de stem het tegen een heel klein kind had, of tegen een verschrikkelijk monster dat je absoluut niet boos mag maken.

'Nee, Hazenlip, dat denken we helemaal niet. En dan bovendien nog niet hardop. Zie je niet hoe bang die mannetjes zijn?'

'T-terro-toeristische m-monster Rex,' bibberde Josje en hij bibberde nog erger toen de lampen aan het plafond opeens veel minder licht gaven.

'Zie je? Wat heb ik gezegd?' fluisterde het Zwarte Gat dat daarvoor verantwoordelijk was. 'De kleinste zit te bibberen als een drilpudding.'

Het machtige wezen boog zich naar Josje toe en prikte hem in zijn buik. Joeri's kleine broertje kreeg zijn mond niet meer dicht en zo verging het Raban ook. Hij zat ingesnoerd naast Josje en fluisterde hees: 'Hottentottennachtmerrienacht. Jo-josje, de, de...'

'Ja, Raban,' viel Josje hem in de rede, 'die terro-toeristische monsterslijmbak, die...'

'D-d-dikke Michiel...' stamelde Raban.

'D-d-Dikke Michiel,' knikte Josje, 'is, eh... eh... is een... vrouw.'

Suizende slingerapen, nu zag ik het ook. Het machtige wezen met de spijkerstem, het Zwarte Gat dat boven Josje en

Raban de lampen verduisterde en aan wie alle andere krokodillen gehoorzaamden, was een natuurgetrouwe kopie van de
etterbak uit de Graffiti-torens. Alleen had hij roze lipstick op
en op zijn oren had hij slakkenhuisjes van gedraaide vlechten.

'Krakende krabbenpoten,' floot Fabi. Hij probeerde rechtop te gaan zitten om beter te kunnen zien. Maar daarbij trok
hij Leon met wie hij buik-aan-buik vastgebonden zat mee op
zijn knieën.

'Krakende krabbenpoten!' floot Fabi nog eens en toen kon
hij zich gewoon niet meer beheersen. 'Ik word gek! Mijn
hemel, Michiel! Waarom heb je dat zo lang voor me verborgen? Ik val wel op sterke vrouwen! Maak me los! Haal een
pastoor! Dan trouwen we!'

'Gadver! Hou op!' schreeuwde Josje hevig geschrokken.

Maar Fabi glimlachte zijn breedste glimlach. Hij toonde
daarbij alle tanden die hij had en het Dikke-Michiel-meisje
deed hetzelfde. Maar zij grijnsde niet zoals Fabi dat deed. Nee,
ze glimlachte. Ze glimlachte zo zacht als een engel. Ze trok,
verdiept in haar gedachten, haar roze lipsticklippen op. Ze
speelde met de slakkenhuisvlechtjes op haar oren. *En zo dadelijk*, dacht ik, *klapt ze in haar handen en dan, dan gaat ze dansen.*

Fabi werd lijkbleek. Hij dacht hetzelfde: *Shit! Dat Dikke-
Michiel-meisje valt op me.*

Hij schraapte zijn keel en wilde iets zeggen. 'Ik, ahum, ja,
ik, ik...'

Toen verstijfde het lachje tussen de vlechten. De tanden
tussen de roze lippen werden heel spits. De ogen van het
meisje vernauwden zich tot dunne spleetjes en lichtten op
als een laserkanon.

'Krakende krabbenpoten!' Fabi verslikte zich bijna van
schrik.

De aanvoerster van de krokodillen was namelijk helemaal

niet verliefd. Ze had alleen maar even nagedacht. Ze had de weinige lichtjes in haar hoofd geactiveerd en daardoor had ze er een halve minuut lang vriendelijk uitgezien. Maar het Dikke-Michiel-meisje had nu begrepen dat Fabi met haar gespot had en ze sloeg toe.

'Puh!' brulde de spijkerstem. Ze duwde Raban en Josje terug in de modder. 'Wie is die Dikke Michiel over wie jullie het steeds hebben? Daar heb ik niks mee te maken!' De stem ging de hoogte in en richtte zich tot Fabi. 'Ha! Je speelt met je leven! Duidelijk?' Ze sprong op Fabi af. Ze pakte hem beet. Ze trok hem en Leon omhoog alsof het marionetten waren. Toen fluisterde ze haar bedreiging direct in hun gezicht: 'Zeg dat nog eens en je zult in mijn armen verhongeren.'

'Oké, oké,' fluisterde Fabi onder de indruk. 'Ik heb me natuurlijk vergist.'

'Shit! Zeker weten!' spuugde Leon, want hij zat met zijn hoofd ter hoogte van de oksels van het meisje. 'Jij líjkt niet eens op Dikke Michiel. Jij bent het aardigste meisje...'

'Puh!' blies het aardigste meisje en ze slingerde Fabi en Leon met een grote boog op de grond. 'Puh! Ik haat meisjes, vooral aardige, en wat ik nog meer haat zijn aardige jongens.'

'Het zal ook eens niet,' kreunden Fabi en Leon.

'En het meeste haat ik het als mensen mij met iemand anders vergelijken!' De laserogen keken strak naar de twee jongens en toen keken ze in de verte. 'Hebben jullie dat gesnapt of moet ik het jullie nog uitleggen?'

Ik knikte en schudde mijn hoofd, en Jojo deed hetzelfde.

'Puh!' zei het meisje. Ze tuitte haar roze lippen. 'Oké. Dan kunnen we jullie eindelijk welkom heten.'

Ze grijnsde als een piranha-mama en toen draaide ze een pirouette. En hoewel ze veel moeite deed, zag het er net zo sierlijk uit als een nijlpaard in een balletrokje. Ze liet scheten

van inspanning en in de wolk van deze verrukkelijke geur
boog ze voor ons.

'Welkom!' glimlachte ze. 'Ik heet She-Man. Zoals He-Man.
Alleen is die sukkel vergeleken met mij een knuffelbeestje.'
Haar gezicht werd somber en ze stuurde een zending laser-
blikken richting Fabi, maar die was gelukkig alleen maar op
'verlammen s.v.p.' ingesteld. 'En datzelfde geldt ook voor die
Dikke Michiel van jullie en zijn armzalige bende. Die zijn
alleen maar gevaarlijk als je ze bij de Teletubbies laat optre-
den.'

Haar vriendinnen moesten lachen om het meisje dat She-
Man heette. Ze straalde en maakte een koprol die de grond
deed trillen.

'Maar jullie zijn hier in een oude kolenmijn. Duizend
meter diep onder de grond. En hier zijn wij de baas: de Vrolijke Monsters! Bulldog, kom hier. En Bijter en Hazenlip ook!

Laat je eens zien aan onze gasten! Hamer, Sjang-haai! En Orka, mijn meisje. Is ze niet lief?'

Ze stak haar wieldophand op en tikte met een reusachtige vinger op de wang van het kleinste meisje.

'Is ze niet lief?' herhaalde ze dreigend en ze liet haar laser-ogen opvlammen.

We wisten niet hoe snel we moesten knikken. Maar in werkelijkheid zakte de moed ons in de schoenen toen we naar onze zeven gastvrouwen keken. Ze stelden zich speciaal voor ons op voor een monsterkrokodillen-familiefoto.

She-Man, hun aanvoerder, heb ik je al vrij aardig beschre-ven. En Sjang-haai, je weet wel, die steeds maar 'Yo' mompelt, zag eruit als de grote zus van Kong, de Chinees. De ratelende Bulldog kon zo doorgaan voor de dochter van Dikke Berta. Je weet nog wel: de hoofdzuster die zich zo graag als Pippi Langkous verkleedt. En Bijter en Hamer waren onbehouwen reuzen. Ze stonden als twee Siamese tweelingkogelstoters achter elkaar en ik moest meer dan vijf keer kijken om zeker te weten dat het bij die twee ook werkelijk om echte meisjes ging. Voor hen loerde Hazenlip. Ze was broodmager en ze had vleesspiezen aan haar vingers. Ik durf mijn keeperhand-schoenen erom te verwedden dat ze drie keer zo veel eten naar binnen kon werken als een heel voetbalteam in een week. Oprispende heksenboeren! De laatste van allemaal was de kleine lieve Orka. Dit nestkuiken van deze Monster bv. droeg een zwart-wit geruit matrozenpakje. Ze leek wel opgeblazen. Haar vele korte vlechtjes staken als spijkers uit haar hoofd en met haar klamme, vinnige handjes zwaaide ze met twee fietskettingen als rammelaars om zich heen.

'Zo,' grijnsde She-Man. 'En nu gaan we allemaal netjes zwaaien!'

Ze stak haar wieldophand op en zwaaide hem door de

lucht. Orka en Hazenlip deden hetzelfde. Maar we zagen alleen maar fietskettingen en vleesspiezen en die blikkerden daarbij erg gevaarlijk in het licht.

'Braaf!' kraakte She-Man met een roestige lach. 'Deze groet komt namelijk niet alleen van ons. We moeten jullie de hartelijke groeten doen van de Beestige Beesten.'

'Heel hartelijke groeten!' riepen de Vrolijke Monsters.

'Ja, want die vinden het absoluut fantastisch dat jullie het tot hier toe hebben gered. Dat hadden ze nooit gedacht. En geloof me: ze zijn diepbedroefd dat jullie zo vlak bij het doel eh...' She-Man snotterde alsof haar potvisoma gestorven was, '...hoe zal ik het zeggen...? Blijkbaar zijn jullie helaas op het laatste moment toch nog teruggekrabbeld. Ik bedoel, anders zouden jullie nu niet hier zijn. Anders zouden jullie niet onze uitnodiging hebben aangenomen in plaats van die van de Beestige Beesten. En daarom moeten jullie zelfs geen moment denken dat jullie morgenavond zomaar in de Slangenkuil kunnen opduiken. Dat begrijpen jullie toch zeker wel? De Beestige Beesten zijn tamelijk beledigd en boos.' Het potvismeisje met de slakkenhuisknotjes op haar oren stak wanhopig haar armen in de lucht. 'Tja, zo is het nu eenmaal,' glimlachte ze. 'En daarom hebben jullie kort en vriendelijk, maar ook wreed en achterbaks gezegd, de wedstrijd morgenavond verloren.'

Ze haalde diep adem. Ze bekeek ons onderzoekend en grijnsde toen alsof ze vandaag jarig was. 'En daarom zijn jullie helaas vandaag al niet meer het wildste elftal ter wereld.'

'Helaas niet meer!' grijnsden de Vrolijke Monsters. Hazenlip klapte in haar vleesspieshanden en Orka sprong als een stuiterbal in het rond.

'Helaas niet meer! Helaas niet meer!' juichte het opgeblazen matrozenpak. Ze liet haar fietskettingen krijsen als cirkelzagen en het geluid drong door tot in mijn haarwortels. Ik dacht: *Als het niet gauw ophoudt, springt mijn schedel uit elkaar.* Op dat moment stak She-Man haar armen omhoog en toen werd het stil.

Godzijdank.

Maar dat duurde maar een ademhaling lang. Toen sprong mijn hart in mijn keel. Het ging daar tekeer als een wilde met een voorhamer.

'Zoetzure heksengal,' wilde ik sissen, maar mijn stem kwam niet boven de voorhamer uit.

De onrechtvaardigheid was te groot. De Vrolijke Monsters waren veel te weerzinwekkend en te gemeen. We lagen in onze tenten gewikkeld hulpeloos op de grond. Zelfs Leon bracht geen geluidje uit, al werd zijn hoofd al donkerrood van woede. En Vanessa's blik waarvoor ze een wapenvergunning zou moeten hebben, liet She-Man, Bulldog, Orka en Hazenlip koud. Het was alsof Vanessa met een pingpongballetje op een locomotief probeerde te schieten.

'Goe-hoe-hoeoed!' hikte het meisje dat eruitzag als Dikke Michiel. 'Dan hebben we elkaar allemaal goed begrepen. Jullie blijven tot overmorgen bij ons en dan rijden jullie weer naar huis.'

Ik maakte me breed. Ik trok aan mijn boeien. Ik kookte van woede, maar ik kon nog steeds geen woord uitbrengen. *Slijmerige heksencobra,* dacht ik, terwijl ik het rare kind bekeek. *Hier zul je voor boeten! Daar steek ik mijn keeperhandschoenen voor in het vuur.* She-Man verstond elk woord.

Ze keek me aan en fronste haar voorhoofd. Ze kneep haar ogen tot spleetjes. Maar op het moment dat ik dacht dat ze Hazenlip met haar vleesspiezen op me af zou sturen, schudde ze haar hoofd.

'Hé, hé, hé!' zuchtte ze. 'Jullie zijn onze gasten en ik beloof

145

dat we jullie niet opeten. Nee, niet zolang jullie doen wat ik wil. En ik wil alleen maar dat jullie genieten van jullie neder-laag. Bij alle dubbele patatjes oorlog! We vieren feest, speci-aal voor jullie. En als we jullie dadelijk losmaken, bedenk dan wel dat jullie duizend meter onder de grond zitten. De gangen die jullie daar zien, zijn honderden kilometers lang. Hier was vroeger namelijk een kolenmijn. Nu weet niemand meer de weg in de mijngangen. Het is een doolhof met maar twee uitgangen. De ene uitgang ligt achter jullie. Daar is de mijnlift. En de sleutel van de lift heb ik, en die draag ik hier, onder mijn T-shirt op mijn lieftallige buikje.'

Ze liet ons dat buikje even zien. Harige duivelstongen! Terwijl ze lachte, deinde de sleutel die ze met een reusachtige pleister op haar buik had geplakt op een machtige laag spek-zwoerd die bij elke ademhaling omhoogkwam en dan weer inzakte.

'En de andere uitgang leidt naar de hel of naar het Niets.' She-Man haalde haar schouders op. 'Als jullie hier beneden verdwalen, dan zoeken jullie het verder maar uit. Weten jul-lie nu genoeg?'

Ze keek ons stuk voor stuk aan.

'En jij?' Haar ogen onderzochten mijn gezicht. 'Snap jij nu ook dat jullie hebben verloren?' Ze kwam naar me toe. 'Of moet ik nog wat duidelijker worden?' Ze bleef staan en boog zich naar voren. 'Ik wacht,' siste ze en ik wist: dit was niets minder dan alarmfase rood. Elk verzet was zinloos. Ren voor je leven! En daarom schudde ik braaf mijn hoofd.

'Mooi zo!' glimlachte het meisje met de slakkenhuisknot-jes op haar oren. Ze klapte in haar handen. Ze veranderde weer in een nijlpaard dat probeert te balletdansen. 'Oké,' lachte ze. 'Haal dropjes voor iedereen en marshmallow-mui-zen! Het feest gaat beginnen!'

Verraden! Verkocht!

Dat was het. Ik heb je gewaarschuwd en nu is het gebeurd. De Wilde Voetbalbende bestaat niet meer en dat zal altijd zo blijven!

Deze twee zinnen draaiden rond in mijn hoofd. Ze bleven maar draaien. Ik werd er duizelig van. En misselijk.

Ik werd misselijk, omdat ik moest toekijken hoe She-Man en co. onze ondergang vierden. Ze draaiden muziek. Ze deden een wedstrijdje dansen Britney-Spears-tegen-Christina-Aguilera en ze aten hele zakken drop en marshmallow-muizen. Ze propten het snoep in hun mond en spoelden het spul weg met blikjes Red Bull. En ze lieten keiharde boeren en scheten. Elke keer dacht ik: nu, nu storten de mijngangen in. Over en uit.

Op de een of andere manier wou ik echt dat dat gebeurde. Ik kon en wilde gewoon niet meer. En denk nou niet dat ik het leven zat ben. Maar na drie uitnodigingen van She-Man om met haar te dansen, vier van Orka en zeven van Bijter en Hamer, de Siamese kogelstootsters, verlangde ik nog maar naar één ding: een oplossing. En daarom greep ik de eerste de beste kans die ik kreeg en maakte dat ik wegkwam.

Ik trok me terug en verstopte me tussen de lorries, de kleine wagons waarmee vroeger de kolen over de rails uit talloze gangen hierheen werden gebracht om ze via de schachttoren naar boven te brengen. De schachttoren was volgens She-

Man onze enige uitweg, maar de sleutel zat onbereikbaar voor ons op haar buik geplakt.

Ik keek naar de toren. Ik staarde naar de schachttoren tot mijn ogen pijn deden. Tot ze begonnen te tranen. Toen barstte ik in huilen uit. Ja, je leest het goed. Ik, Marc de onbedwingbare, het coolste lid van de Wilde Bende, huilde. Dat was nou al de tweede keer. Maar nu huilde ik alsof ik met mijn zondvloed van tranen de hele wereld wilde verdrinken. En ik had er duizend redenen voor.

Ik huilde omdat ik teleurgesteld was. Omdat we zo dicht bij het doel op zo'n oneerlijke manier overwonnen waren. Het was alsof iemand midden in een voetbalwedstrijd aan de noodrem trekt. En in plaats van een rode kaart krijgt hij als beloning nog een strafschop. Maar dat was niet alles. Ik huilde ook van uitputting. Ik huilde omdat ik geen kracht meer had om me tegen dit onrecht te verweren. Maar ik huilde vooral zoals ik nog nooit in mijn leven had gehuild, omdat het mijn schuld was. Het was mijn schuld dat de Wilde Voetbalbende vanaf nu niet meer bestond. Want hoezo wist ik zo zeker dat hetzelfde gebeurd zou zijn als we in Amsterdam waren gebleven? Nee, dan waren we nog steeds het wildste voetbalteam ter wereld en die Beesten konden de boom in. Maar ik moest per se die ellende van de revolverhelden vertellen. Er is op de hele wereld niets belachelijkers dan twee mannen die zich alleen maar bezighouden met wie van hen het snelste een stomme Colt uit zijn holster kan trekken. Nee, bij alle machten van de hel! Ik had gewoon niet beter verdiend. Ik had niet beter verdiend dan bij de Vrolijke Monsters te eindigen terwijl die een wedstrijdje deden van dansen als Britney Spears tegen dansen als Christina Aguilera. En die pondszakken drop wegspoelden met blikjes Red Bull. Daarom huilde ik en ik besloot dat ik er nooit meer mee zou ophouden, toen iemand naast me kwam zitten.

'Hé!' klonk zachtjes een doffe stem. 'Hé, mag ik je iets zeggen?'

Ik schudde mijn hoofd. Ik stopte het nog dieper weg tussen mijn armen en mijn knieën. Ik wilde niets horen. Maar degene die nu naast me zat, liet zich daardoor niet afschepen. Nee, daar was hij veel te eigenzinnig en te stoer voor.

'Hé, ik snap het wel,' zei hij. 'Ik heb precies hetzelfde als jij.' Hij snoof en trok zijn neus op alsof hij ging huilen. 'Maar toch moet ik je bedanken. Ik bedoel, we moeten je allemaal bedanken.'

Ik stond versteld. Ik verslikte me in mijn tranen en toen durfde ik hem aan te kijken.

'Dat meen ik echt,' zei Leon.

'Ja, en wij menen het ook!' Marlon veegde het snot van zijn neus.

'Echt waar,' knikte Felix.

Hij zat naast Marlon en naast hem zaten de anderen. Dampende duivelsdrollen. Alle leden van de Wilde Bende zaten tussen de lorries.

'Zonder jou,' zei Fabi, 'hadden we allemaal voor schut gestaan.'

'Ja.' Max kuchte en gaf hem gelijk. 'Zonder jou zouden we ons allemaal laf hebben verstopt.'

'We waren vast in boeddhistische grotten gekropen,' zei Raban met een rode kleur. Zijn bril besloeg.

'Of ergens in Brazilië,' zei Rocco.

'Ja, in Brazilië of in het Amsterdamse bos.' Annika veegde de tranen uit haar ogen en probeerde te glimlachen.

Maar ik smoorde haar glimlach door mijn hoofd te schudden.

'Ja hoor, geloof je het zelf. En wat doen we hier? Hè? Hier verstoppen we ons toch ook?'

'Ja, maar niet omdat we laf zijn,' zei Jojo trots.

'Nee, we hebben alles geprobeerd,' knikte Joeri 'Huckleberry' Fort Knox en hij leek helemaal niet meer verslagen.

'Precies,' grijnsde Vanessa. 'En als je mij vraagt waar ik nu liever zou zijn, met oma Verschrikkelijk op een gezondheidsweekend of hier, dan weet je precies wat ik zou antwoorden.'

'Bij de terro-toeristische revolverheld,' zei Josje en hij grijnsde zo brutaal als hij maar kon. 'Dan zou jij toch veel liever een modderbad nemen en daarna nog een massage?' Hij trok zijn armen heel voorzichtig weg voor zijn gezicht. Maar de kinmassage die hij van Vanessa verwachtte, bleef uit.

'Ha ha ha! Ik lach me suf,' siste hij en hij loenste daarbij tussen zijn vingers door.

Vanessa grinnikte erom. 'En daarna,' zei ze, 'zou ik nog een poosje baden in ezelinnenmelk.' Ze keek me aan. 'Hé, Marc! Lach eens een keer, man! We moeten nog een halve nacht en een heel lange dag door. Pas dan hebben we echt verloren. En die monsters zullen heus wel een keer gaan slapen.'

Ze wees naar She-Man en Orka. Die dansten en zongen een wilde finale. She-Man als Britney en Orka als stuiterbal. Want als Christina Aguilera had ze al helemaal geen kans. Al stond ze er nu met een piepstemmetje en in haar zwart-wit geruite matrozenpakje bij als een koorknaap. Ze zong *Beautiful.*

'Ik weet het,' knikte ik en ik probeerde een glimlach. 'Maar ieder mens merkt het als je een pleister van zijn huid trekt. Zeker op je buik. Al lig je nog zo vast te slapen.'

'Natuurlijk. She-Man zal schreeuwen en schelden. Maar...'

Leon grijnsde tegen me, '...als we de sleutel eenmaal hebben, hebben we ook heel veel goede redenen om te vechten. Vind je niet?'

'En jij bent goed in karate!' zei Annika. Ze zei het met zo veel bewondering, dat ik vuurrood werd. 'Jij kunt het zelfs beter dan ik kan thaiboksen.'

'En Rocco is een meester in zwaardvechten!' lachte Marlon. 'Echt waar. Hij is de eerste Braziliaanse samoeraikrijger ter wereld.'

'En dat is toch duizend keer beter dan een boeddhistische monnik die zich in de Ardennen verstopt voor de wereld.' Raban stak zijn hand in de lucht voor een high five. 'En ik kan ook judo.'

Ik aarzelde. Toen lachte ik en ik sloeg met mijn hand tegen de zijne.

'En als je dat maar half zo goed kunt als met je goede verkeerde voet biljartgoals scoren, dan weet ik wel waar Hazenlip haar vleesspies kan stoppen.'

De jongen met de jampotbril keek me stralend aan. 'Alles is cool,' zei hij en ik wilde al: 'als je maar wild bent' antwoorden, toen achter ons een geluid klonk van metaal op metaal.

'Sjlllpffff! Sjlllpffff!' smakte Hazenlip en ze wreef met haar vleesspiesvingers zoemend en fluitend tegen elkaar.

'Sjlllpffff! Sjlllllpffff!' smakte ze en 'Grrr!' gromde het van de andere kant terug. Achter Vanessa en Marlon verscheen de machtige Bulldog.

'Jau!' riep Sjang-haai rechts achter Max en Felix.

En links achter Joeri en Josje dook de tweeling op.

'Grrrrr!' bromde Bulldog alsof ze wilde grijnzen. 'Dat klinkt allemaal heel spannend. In het echt.'

'Maar ik vraag me af,' smakte Hazenlip genietend, 'hoe jul-

151

lie willen vechten als jullie sjllpfff, sjllpff zo dadelijk weer vastgebonden zijn.'

En omdat ze wilde dat we haar vraag goed begrepen, trok ze alle tien haar vleesspiesvingers vonkensproeiend over de lorrie. Toen haalde ze uit en sneed ze met de messcherpe vingertoppen het touw door dat naast haar gespannen stond tot aan het plafond. Een fractie van een seconde later viel het vangnet over ons heen.

Rinus de mijnwerker

'Aangebrand duivelsgehakt met pleeborstelsalade!'

Ik kookte van woede. Ik balde mijn vuisten, maar ik kon ze niet meer tegen elkaar slaan. We zaten gevangen in het net en onze armen en benen staken door de mazen naar buiten.

'Man man man. Ik snap het niet. Hoe konden we zo stom zijn?'

'Bingo!' zei Fabi heel zachtjes tegen mijn rechteroog. Hij drukte daarbij met zijn wang hard tegen mijn neus. 'Zo stom was ik voor het laatst toen ik drie was. Toen deed ik verstoppertje met mijn moeder en verstopte ik me vijf keer achter elkaar in dezelfde kist.'

'Gillende krokodillen!' vloekte Raban over Vanessa's achterwerk heen. Hij beet mij bijna in mijn oor. 'Je gaat toch niet zeggen dat je moeder je nergens kon vinden, hè?'

'Waarom stel jij zo'n stomme vraag?' mopperde Annika. Ik zag alleen haar linkervoet en die stak met de grote teen in de neus van Felix. 'Als ze hem niet had gevonden, waren we nu niet hier. Konijnenwatjeskwastkont! Waarom behandelen onze ouders ons altijd als kinderen? Waarom leren ze ons geen dingen waar je écht iets aan hebt?'

En daar had ze nog gelijk in ook.

We hingen in elkaar gedraaid in het vangnet. Dat hadden de Vrolijke Monsters met ons erin naar het plafond gehesen. Van hieruit konden we de hal helemaal overzien. Hij was

bijna leeg. Op een paar banken, stoelen en tafels, en de lorries na. De Vrolijke Monsters hadden zich in de banken en stoelen genesteld en lagen te snurken. De lorries waren de enige schuilplek. Daarom hadden Bulldog en co. ons dáár ook gezocht. Ik bedoel, ze hoefden niet eens te zoeken. Ze wisten al waar je je kon verstoppen voordat wij dat wisten, en daarom hadden ze alles gepland. Ze hadden het vangnet opgehangen. En terwijl ze zich voorstelden hoe stom we waren, hoe we ons daar zouden verstoppen om een ontsnappingsplan te maken, hadden ze het vast bijna in hun broek gedaan van het lachen.

Ik kookte van woede. Ik duwde Fabi's wang weg. Ik duwde Rabans neus opzij.

'Ik wil eruit,' schreeuwde ik. 'She-Man en Bulldog! Laat ons eruit!'

Een zak drop raakte mijn oog.

'Stil daarboven!' riep Bulldog dreigend. 'Ik wil slapen!'

Maar dat kon mij geen bal schelen.

'Dan had je maar niet zo veel Red Bull moeten drinken!' snauwde ik en ik duwde Vanessa tegen haar achterste. 'En als je weer zo nodig moet zeuren, doe dat dan maar bij She-Man en Orka.' Ik woelde me onder Felix door en ging overeind staan. 'Die snurken echt als Zuid-Braziliaanse hangbuikzwijnen!'

Ik keek naar haar en Bulldog keek terug.

'NNGRRR!' trilden haar grote neusvleugels.

Even overwoog ze mij opnieuw te bekogelen, maar nu met een sixpack Red Bull. Maar ze besloot toch iets anders te doen. Ze haalde haar schouders op.

'Weet je?' grijnsde ze. 'Jammer jij maar lekker verder. Jullie hebben toch verloren. En als ik tweehonderd kilometer voor niks had gefietst, was ik nog véél kwader.'

'Zeg dat nog eens!' Mijn stem trilde. 'En laat me eruit. Dan zal ik je eens laten zien hoe kwaad ik ben!'

Maar Bulldog luisterde niet meer naar me. Ze rolde zich op op de bank. Ze gaapte driemaal als een walvishaai en snurkte toen harder dan Orka en She-Man en alle andere Monsters bij elkaar.

'Hier zul je voor boeten,' siste ik en ik balde mijn vuisten. Ik greep zo hard in het net dat het touw door mijn keeperhandschoenen heen in mijn handen sneed. Ik beet van inspanning op mijn lippen en trok en rukte aan het net. Dampende duivelsdrollen! Dat moest toch kapot kunnen? Het net zou toch wel een keer scheuren? Shit! En zeker nu, nu Leon en Fabi en Deniz en Max en alle anderen meehielpen? Maar het net bleef heel. Het trotseerde onze woede en ontmoedigde onze kracht, en een voor een gaven we het op. We zaten rug aan rug in een kring in het net. Het zwaaiende net wiegde ons. Het zwaaide op de maat van de eindeloos lange seconden. De seconden van onmacht en uitzichtloosheid.

'En?' riep ik spottend. 'Zijn jullie me nog steeds dankbaar?'

'Ik dácht het niet!' antwoordde Vanessa. 'Ik zat nu liever in een grot in de Ardennen.'

'Precies,' knikte Marlon, 'en de lange baard die je dan zou hebben zou je vast nog gelukkiger maken.'

Hij grijnsde plagerig en Vanessa probeerde hem een klap tegen zijn kin te verkopen. Maar ze had er de kracht niet meer voor.

'Alle schele schollen!' zuchtte Jojo. 'Hou alsjeblieft op! Marc, als het iemands schuld is dat we hier maar wat rondhangen, is het wel de mijne. Ik was kaartlezer en ik heb niks gedaan met de waarschuwingen van Billie. Al bij de oude fabriek waar we squashvoetbal hebben gedaan, stond zijn waarschuwing: "Wees voorzichtig! Ik ben hier nog nooit geweest. Deze geheime schuilplaats heeft Hadsjie voor iemand anders gebouwd."'

'Wát?' vroeg Marlon. 'Maar waarom dan? Ik bedoel, ik heb je nog speciaal naar Billie gestuurd...'

Ik keek Jojo ongelovig aan en alle anderen deden hetzelfde.

'Ja,' zei Jojo. 'Maar ik was zo blij dat het eindelijk weer beter ging. En er gebeurde toch ook niets? We hebben lol getrapt en eindelijk na zo veel donkere dagen weer gevoetbald.' Jojo keek ons stralend aan. 'En daarom heb ik op de wei aan de rivier bij het eeuwige vuur ook niets gezegd.'

'Aha,' zei Marlon. 'En wat stond daar op de kaart?'

Maar Jojo deed alsof hij het niet hoorde.

'Ik bedoel, dat dachten jullie toch ook? We zijn er einde-lijk. Het is gelukt! En ook al hebben we zo ver gereden, toch ziet alles er precies zo uit als bij ons in Amsterdam. Alle gil-lende krokodillen! Wat kon ons nou nog gebeuren? We wil-den alleen maar slapen en trainen. En dan zouden we de Beestige Beesten...'

'Jojo!' viel Marlon hem in de rede. 'Wat stond er op de kaart?'

Jojo schraapte zijn keel. 'Daar stond, eh... daar stond...'

'Weer "Wees voorzichtig"?' vroeg Marlon met een slecht voorgevoel, maar de jongen die met de zon danst, schudde zijn hoofd.

'Nee. Er stond: "Wees supervoorzichtig",' antwoordde hij. 'Er stond ook dat de wei al bij Het Dal van de Lange Messen hoorde en dat in dat dal Dikke Michiel regeert. Ik bedoel, zo iemand als Dikke Michiel, zo iemand als...'

'She-Man,' zeiden we allemaal zachtjes. We keken Jojo geschrokken en verwijtend aan. 'Jij wist dat ze zouden komen en jij hebt ons...?'

'...niet gewaarschuwd,' maakte Jojo somber de zin af. 'Precies, ik heb jullie niet gewaarschuwd.'

We hapten naar lucht.

'Maar waarom dan niet? Huh? Nou, Jojo?' riepen we alle-maal door elkaar. We konden en wilden het niet geloven. 'We hadden nog vrij kunnen zijn, Jojo...'

'Weet ik,' knikte hij. 'Weet ik, weet ik, weet ik.' Hij zat te wippen van opwinding. Hij werd steeds zenuwachtiger. 'Maar ik snap het nog steeds niet.' Hij staarde ons aan. 'Ik bedoel, denk eens na! Stel dat de Beestige Beesten naar Amsterdam waren gekomen. Naar ons, bedoel ik. Dan had Dikke Michiel hun toch ook niets gedaan? Dat zouden wij hebben verboden. Ik bedoel, dat zou toch oneerlijk zijn geweest? Deniz, je hebt het zelf gezegd: het gaat om een voetbalwedstrijd.'

'Nee,' zei Deniz. 'Het gaat om veel meer. Het gaat erom wie de wildsten zijn.'

'Ja, maar toch,' wierp Jojo tegen, 'toch heeft dat niets met eerlijkheid te maken. Suizende slingerapen! Als de Beestige Beesten ons op deze manier verslaan, geldt dat toch niet! Dan hebben ze toch juist zichzelf verslagen?'

Hij keek ons aan. Hij wist zich helemaal geen raad.

'Ik bedoel, ze willen toch zijn zoals wij? Shit! Dan moeten ze toch ook net zo denken als wij? Leon, Marlon, Fabi, Marc?'

Maar het antwoord dat hij zocht, kwam van Vanessa.

'Hoezo?' vroeg ze droog. 'Hoezo moeten ze dat? Waarom kunnen ze niet gewoon heel anders zijn?'

Vanessa en Annika rolden met hun ogen en wisselden hoofdschuddend blikken.

'Of willen je soms beweren dat je er nog nooit over hebt nagedacht wie die Beestige Beesten zijn? Ik bedoel natuurlijk los van het feit dat ze ook voetballen, net zoals wij?' Vanessa keek ons een voor een aan. 'Hebben jullie er nog niet aan gedacht dat het bij de Beestige Beesten en ons misschien hetzelfde ligt als bij Dikke Michiel en She-Man, Kong en Sjanghaai, of de Zeis en Orka?'

'Wat bedoel je daarmee?' vroeg Leon achterdochtig.

'Ik bedoel,' antwoordde Vanessa, 'bijvoorbeeld dat wij ons nooit zo zouden noemen. Of vind je de Beestige Beesten een geschikte naam voor ons?'

'Nee,' fluisterde Leon. 'Dat is toch een naam voor...'

'Ja!' riep Vanessa. 'Nu snap je het: we hebben van een meisjesteam verloren!'

'Bij alle konijnenwatjeskwastkonten!' vloekte Annika. 'En we hebben niet eens de bal aangeraakt.'

De twee meisjes werden knalrood. Ze schaamden zich rot, en waren woedend dát ze zich rot schaamden.

'En vertel me nu niet,' zei Vanessa dreigend, 'dat dat oneerlijk was.'

'Dat is namelijk niet zo,' siste de drakenrijdster. 'Het was hartstikke eerlijk.'

'Het was een test,' snoof Vanessa, 'en die hebben we mooi verknald.'

De twee meisjes keken ons aan.

'Wat zouden jullie vinden van een voetbalploeg die in het land van de Wilde Bende komt, en die zich daar al op de eerste dag door een horde sukkels als de Onoverwinnelijke Winnaars in hun eigen tenten laat vangen alsof ze een kudde rollades zijn?'

Vanessa haalde diep adem. En toen, toen sloegen Vanessa en Annika ons om de oren met de waarheid, de hele waarheid en niets dan de waarheid van rechts en links op onze donder.

'Zouden jullie die rollades nog serieus nemen?' vroeg Vanessa.

'Zouden jullie ze geloven?' schoot Annika er meteen achteraan. 'Zouden jullie nog geloven dat ze het wildste voetbalteam ter wereld waren?'

'Zouden jullie tegen ze spelen?' vroeg Vanessa.

'Of zouden jullie ze via Dikke Michiel laten weten dat ze helaas niet goed genoeg zijn?'

'Dat jullie geen tijd hebben om tegen kleuters te spelen.'

'Kleuters die niet op zichzelf kunnen passen. En dat die kleuters pas terug mogen komen...'

'...als ze wild en volwassen zijn.'

De ogen van Vanessa en Annika fonkelden van woede.

'Duidelijk?' riep Vanessa tegen ons.

'Dat was het dan!' De drakenrijdster spuwde vuur. 'Het is uit!'

'Over en uit!' snauwde Vanessa. En daarmee bezegelde ze het einde van de wereld.

Het einde van de Wilde Bende-wereld.

Sidderende kikkerdril! Ik keek naar Jojo. Mijn beste vriend kroop weg in zijn sandalen. Zo schaamde hij zich. En wij schaamden ons ook. We stelden ons voor hoe we straks uitgelachen door de Beestige Beesten aan de thuisreis moesten beginnen. En we stelden ons voor hoe Dikke Michiel ons thuis zou ontvangen. Met zijn oude woede zou hij ons verslaan. Hij zou ons verpletteren en verstrooien in alle windrichtingen. En over de rest, áls er dan nog een restje van ons over was, zou Gonzo Gonzales, de bleke vampier, zich ontfermen. Dan zouden wij, de Wilde Bende, niet meer bestaan. En dan zou dit boek, het laatste en dertiende deel, afgelopen zijn. Gillende krokodillen, Néé! Nu is het afgelopen met *zou worden* en *zou zijn*. Dit avontuur is afgelopen. Punt uit. Finito! Basta! Dus klap het boek maar dicht. Breng het voor mijn part terug naar de boekhandel en ruil het om. Maar daardoor verander je niets. Nee! Ook niet als je een ander Wilde Bende-boek koopt. Daar vind je dan toch niks meer aan, want je zult nooit kunnen vergeten: de Wilde Voetbalbende bestaat niet meer...

Tenzij... en dat is werkelijk de allerlaatste kans die we hebben: je blijft bij ons. Je verdraagt de nederlaag. Je verdraagt onze schande en ons gejammer. Je deelt onze onmacht en onze woede. Je vindt samen met ons het laatste sprankje hoop en je leent ons een stukje van je kracht. Misschien is er dan toch nog een uitweg, of een wonder, dampende duivels-drollen!

'Misschien komt Willie wel,' fluisterde Josje. 'Ik bedoel, ze hebben hem niet gepakt en hij is de beste trainer ter wereld.'

'Ja,' lachte Raban. 'Wat zijn we toch stom! Willie zal ons wel vinden en redden en dan schieten we de Beestige Beesten met een flinke trap onder hun kont regelrecht naar de maan.' Hij stak zijn hand omhoog voor een high five. 'Alles is cool,' riep hij en Josje wilde al slaan, maar ik greep zijn hand vast.

'Nee,' zei ik. 'Dat denk ik niet. Willie helpt ons niet.'

'Terro-toeristische...!' fluisterde Josje, maar ik schudde treurig mijn hoofd.

'Nee, Josje. Willie is veranderd. Ik weet niet waarom. Maar er is ook nog een andere Willie. Ik durf te wedden dat die andere Willie heel blij is dat we nu hier zijn en dat we de Slangenkuil niet hebben gehaald.'

'Krakende krabbenpoten!' fluisterde Max. Hij balde zijn vuisten. 'Pas op wat je zegt, Marc!'

'Geen kwaad woord over Willie,' zei Felix dreigend.

'Want anders,' nam Marlon het over, 'anders...'

'Ja, weet ik,' knikte ik. 'Dat doe ik ook niet. Ik heb het ook niet over de Willie die wij tot nu toe hebben gekend. Ik zeg alleen – en daarvoor durf ik mijn keeperhandschoenen in het vuur te steken – dat de andere Willie, de nieuwe, de Willie die we niet kennen, sterker is. En die laat ons nu in de steek.'

'Alle plakkende paardenvijgen!' zuchtte Jojo wanhopig. Hij keek de anderen aan. 'Als dat zo is, dan...'

'...dan,' viel ik hem in de rede, 'kan nog maar één man ons hieruit halen en dat is de opa van Marlon en Leon. Dat is...'

'...de spion,' fluisterde Josje. Hij veegde het snot van zijn neus. 'Maar hoe moet hij weten waar wij nu zijn?' Hij snoof.

Hij legde zijn hoofd op Joeri's schouder en Joeri, die anders voor zoiets alleen maar klappen uitdeelt, liet het zomaar toe. Hij streek zijn broer zelfs door zijn haar.

Toen hoorden we alleen nog maar het snurken van de Monsters. Dat klonk walgelijk, als een stel schetende potvissen. Maar op een of ander moment sliepen we toch nog in.

We sliepen wel een eeuw. We sliepen de rest van de nacht en de hele volgende dag en we waren vastbesloten het wereldrecord van Doornroosje te verbeteren. We wilden net zo lang slapen tot alles voorbij was en weer goed... En toen hoorden we het geluid van staal op staal.

Drie lorries kwamen door de hal op ons af. Ze kwamen van voren, van rechts en van links. Ze schoten vonkensproeiend over de rails en ze botsten met een knal tegen de lorries die onder ons stonden. De hele hal beefde ervan. De Vrolijke Monsters sprongen op. Ze krijsten als een kudde olifanten die door een gemuteerde reuzenmuis wakker zijn gemaakt. Maar voor ze snapten wat er gebeurd was, kwam een man aanwandelen. Hij kwam uit een van de gangen die volgens She-Man naar het Niets leidden of zelfs naar de hel.

'Een heel goede avond,' zei de man. Hij was helemaal in het zwart. Hij had een zwarte motorhelm, een zwarte motorbril en een zwarte cowboyjas die tot op de grond kwam. Maar door de tocht in de gangen wapperde de jas spookachtig ritselend om hem heen. Hij had doorzichtige plastic sandalen aan. Die noemde hij zijn 'camouflagesluipers'. En zo liep hij, geruisloos alsof hij zweefde, de holen van de Monsters binnen.

'Een heel goede avond,' zei de man opnieuw en pas nu kreeg hij een soort antwoord.

'Rinus de mijnwerker!' zei She-Man met een schorre stem.

Ze spuugde in het stof. 'Rinus de mijnwerker!' herhaalde ze argwanend. 'Waar kom jij vandaan?'

'Och, dat weet je toch, She-Man?' De zwarte vreemde haalde zijn schouders op. 'Jij weet waar de gangen heen gaan, of vergis ik me?'

'Nee, natuurlijk weet ik dat,' zei She-Man vlug. Maar ze deed voor de zekerheid een paar stappen achteruit. Ze was nog nooit in de mijngangen geweest. Voor haar waren die gangen zoiets als een kerkhof bij nacht.

'Maar wat kom je doen?' vroeg ze hees en angstig. 'We hebben je niet geroepen, hoor, Rinus.'

De man in de jas keek om zich heen. Zijn blik gleed langs het vangnet waarin wij vastgebonden zaten.

'Knetterende kanonnen!' fluisterde Marlon. 'Die vent bevalt me wel.'

'Echt?' zei Raban zachtjes. 'Ik bedoel, ik vind hem eng.'

'Nou en of,' grijnsde Marlon. 'En gevaarlijk ook. Hé, broertje! Had je zoiets ooit van opa verwacht?'

'Hè, wat?' vroeg Leon. Hij was helemaal van slag.

Toen schoof Rinus de mijnwerker, zijn motorbril omhoog. Hij liet ons de mooiste en sluwste piratenglimlach ter wereld zien. En toen knipoogde hij vanonder zijn borstelige opawenkbrauwen kort, maar hartelijk en bemoedigend naar ons.

'Kokende kippenkak!' zei Leon vol eerbied, en zijn beste vriend Fabi floot door zijn tanden.

'Jullie opa is nog wilder dan wij.'

Maar hoe wild dat was, moest nog blijken. Borrelende heksenketels! Ik waarschuw je maar vast: zelfs ik, Marc de onbedwingbare, verloor in de volgende tien minuten tot drie keer toe alle moed.

'Respect. Respect,' bromde de opa van Leon en Marlon. 'Ik zie dat jullie de Wilde Bende hebben gepakt.'

'Ja! Marshmallow-pruimtabak!' De dikke She-Man spuwde voor de tweede keer en trapte toen op de pruimtabak, alsof het een kever was. 'En we laten ze pas weer vrij als Lizzie het zegt.'

'O!' De zwarte mijnwerker keek nu op. 'Dan werken jullie dus nog steeds voor die... die...?' Met zijn wijsvinger maakte hij een kring in de lucht, omdat hij niet op de naam kon komen.

'De Beestige Beesten,' hielp She-Man hem.

'Precies!' zei Rinus. Hij was zo blij alsof hij het zelf bedacht had. 'En daarom laten jullie je maar een beetje door hen commanderen?'

'Wát zeg je?' vroeg het Dikke Michiel-meisje. Haar ogen werden streepjes.

'Jullie laten je commanderen,' grijnsde de oude man. 'Ik bedoel: She-Man, doe dit. Bulldog, doe dat. Hazenlip, kun je dit even voor ons regelen? Maar wel snel! Hup! Hup!'

'Hé, ho even...' De streepjes begonnen te gloeien, maar dat spoorde de oude man alleen nog maar meer aan.

'Nee! Ik wacht niet!' viel hij She-Man in de rede. 'En kom alsjeblieft niet aanzetten met: de Beestige Beesten zijn toch zo machtig en zo wild!' mopperde Rinus de mijnwerker. 'Jullie hebben de Wilde Bende gevangen. Jullie zijn de wildste meiden van het hele land en daarom, alleen daarom ben ik nu hier.'

Hij liep naar de lorries, de drie lorries die hij door de mijngangen voor zich uitgeduwd had, en trok de dekzeilen eraf.

'Dit is voor jullie!' riep hij. 'Deze wapens zijn van die jongens. Ze zijn door de grootste en beste uitvinder gemaakt die er in de Wilde Wereld bestaat. Ik heb het over Hadsjie ben Hadsjie ben Hadsjie ben Hadsjie. Jullie hebben deze wapens gewoon in het gras laten liggen.'

Hij keek de Vrolijke Monsters verwijtend aan en de moed zakte mij voor de eerste keer in de schoenen.

'Wat doet jullie opa nou?' vroeg ik Marlon en Leon, maar die waren even verbijsterd als ik. 'Met die wapens had hij ons kunnen bevrijden! Aangebrand satansgehakt!'

Maar in plaats daarvan scheurde hij het waterdichte papier open en verdeelde de inhoud van de pakjes onder She-Man en co.

'Kadeng en Klabamm!' riep de oude man. 'Hiermee kunnen jullie die Beestige Beesten overwinnen. Dit hier is een kauwgumboeienkanon of spinnenwebkanon, zoals Hadsjie het noemt. En dit is een soort pepergeweer. Spuit wolken peperstof. Lekker niesen voor iedereen. Maar deze vind ik de mooiste. Dit zijn bloedzuigerkatapulten.' Hij pakte een van de kleine handkatapulten en gespte die om zijn arm. 'Let op! Ik laat jullie zo zien hoe ze werken.'

Hij greep in een emmer met troebele, waterige modder en haalde er drie glibberige bloedzuigers uit.

'Op wie moet ik schieten?' vroeg hij grijnzend en hij zwaaide met de geladen katapult in het rond.

De Vrolijke Monsters wierpen zich op de grond.

'Stop!' schreeuwden ze. 'Hou onmiddellijk op!'

En wij kregen weer hoop.

'Nu he-heeft hij ze!' Deniz lachte stralend. 'Nu heeft jullie opa de Vrolijke Monsters overwonnen.'

De oude man lachte. 'Hé, kom! Sta eens op! Dit was maar voor de grap.'

De Monsters begrepen het niet en wij ook niet.

'Driemaal geperste olifantendrollen!' schold Raban.

She-Man keek Rinus argwanend aan. 'Waarom deed je dat?' vroeg ze sissend als een reusachtige hagedis. Ik bedoel zo een met giftig spuug.

'Hoezo?' lachte Rinus. 'Waarom vraag je dat nog? Je kunt je wreken, She-Man. Voor elke vernedering kun je je wreken. Voor alles wat de Beestige Beesten tegen je hebben gezegd.'

'Weet ik,' zei She-Man hees. 'Maar dat bedoel ik niet. Ik wil weten waarom. Waarom help je ons opeens? Dat heb je nog nooit gedaan! Je hebt altijd tegen ons gevochten.'

'Klopt! Maar nu ligt het anders. Nu zijn jullie de wildste bende. Nu zullen jullie heersen in het land van de Beesten. En ik, Rinus de mijnwerker, zal jullie bondgenoot zijn.'

'Ha, zo zit het dus,' fluisterde het Dikke-Michiel-meisje. 'Ik geloof dat ik het snap. Jij wilt de macht.'

Ze legde haar wieldophand op de schouder van de oude man.

'Je wilt de macht!' zei ze. 'Maar wie de macht wil, is helemaal niet te vertrouwen.'

'Nee, helemaal niet,' gromde Bulldog. 'Grrrr! Grrrr! En zeker als die iemand nog een spion is ook.' Ze liep om de man heen en ging aan de andere kant naast hem staan.

'Een dubbelspion,' smakte Hazenlip. 'Sjlllpfff! Sjlllpfff! En dan ook nog de opa van Leon en Marlon.'

Ze ging voor Rinus staan en streek met haar vleesspiesvingertoppen schrapend en piepend over zijn helm.

'Etterende heksensteenpuist!' siste ik schor. 'Nu is het afgelopen.'

En bij dat 'afgelopen' zakte de moed me voor de tweede keer in de schoenen.

Maar ook Rinus de mijnwerker stond te trillen. 'Ja, ik, eh...' stotterde hij. 'Natuurlijk ben ik hun opa. En... eh... Marlon en Leon zijn mijn kleinzoons.'

Hij keek naar ons op. Ik zag het schuldgevoel in zijn ogen. Marlon en Leon zagen het ook. Ze fladderden daar als motten in het licht.

'Opa!' fluisterden Leon en Marlon. 'Opa, jemig!'

De oude man lachte. Nee, dat is niet waar. Hij lachte niet echt. Hij giechelde alleen maar. Hij giechelde als de grootste lafaard of verrader.

'Maar wat maakt het uit,' slijmde hij giechelend. 'Ik heb die jongens al zo lang niet meer gezien. Ik bedoel, ik ken ze eigenlijk helemaal niet. Ik bedoel, niet meer. En als Hazenlip nu eindelijk ophoudt mijn helm te bekrassen, doe ik jullie een voorstel. Een voorstel dat jullie zal bewijzen dat ik goudeerlijk ben. Zo aardig en zo eerlijk, alsof ik eh... ja, alsof ik een beetje bij jullie hoor.'

'Kom maar op met je voorstel,' zei She-Man dreigend. Ze pakte de oude man bij zijn kraag. Ze tilde hem zo hoog de lucht in dat hij met zijn voeten begon te trappelen. En toen pleegde Rinus de mijnwerker zijn verraad.

'Wat zou je ervan vinden?' zei de oude man. 'Wat zou je ervan vinden om de wapens eerst een keer te testen? Als jullie ze eerst uitproberen, en wel op hen.' Hij wees naar ons. 'Op jullie gevangenen. Op de ex-Wilde-Bendeleden...'

'Kokende kippenkak!' Marlon moest even slikken. 'Opa?'

Maar opa kende zijn kleinzoon niet meer.

'En op Marlon en Leon!' riep hij vastbesloten. 'Vinden jullie dat geen goed idee?' De oude man keek beurtelings She-Man, Bulldog, Orka en Hazenlip smekend aan. 'Kom, we gaan op Wilde Bende-jacht! Pesten we die kampioentjes van toen nog een beetje en trainen wij meteen voor de strijd tegen de Beestige Beesten!'

De ogen van She-Man schoten heen en weer. De tandwieltjes in haar hoofd liepen op volle toeren. Maar toen greep zelfs zij haar kans en ging alles heel vlug.

De Vrolijke Monsters verdeelden de wapens. Ze schroefden de luchtdrukpatronen in het pepergeweer en kozen uit de collectie magazijnen het magazijn met het opschrift 'Hot Chili'. Ze staken de gasbranders aan van de spinnenwebkanonnen en warmden de kauwgumtanks op. Ze bonden bloedzuigerkatapulten aan hun armen, spanden het elastiek en legden de griezelige munitie erin. Alleen Rinus kreeg geen wapen. Hoe vaak hij er ook om vroeg. Nee, Rinus kreeg een andere, heel bijzondere taak van She-Man. De moed zonk ons voor de derde keer in de schoenen.

She-Man stuurde Rinus naar het touw dat ons vangnet in

de lucht hield. Ze testte nog een keer alle vier de wapens: het kauwgumboeienkanon in haar rechterhand, het pepergeweer in haar linker en de bloedzuigerkatapulten om beide onderarmen. Toen knikte ze tegen de verrader, en die trok de pikhouweel uit zijn gordel. De houweel, zo scherp als een scheermes, hief hij boven zijn hoofd. En toen... toen deed hij wat je nu niet zult horen, wat je nu niet zult lezen en wat je ook nooit zult meemaken: hij hakte het touw doormidden.

En terwijl wij neerstortten riep hij: 'Vuur! Vuur! Maak ze met de grond gelijk!'

En dat lieten de Vrolijke Monsters zich geen twee keer zeggen. Ze kwamen in actie. De schoten van de pepergeweren waren van alle kanten om ons heen te horen.

'Niesende nijlpaarden!' schreeuwde Raban.

Leon stapte uit het net. 'Daarvoor zul je boeten, opa!' riep hij boos. Hij pakte de oude man bij de mouw van zijn jas. Maar ineens schreeuwde She-Man nog harder dan hij: 'AAAH!' Ze begon driftig in haar ogen te wrijven.

'AAAH!' schreeuwden ook de andere Monsters. 'AAAH! Dit brandt! O-HOH! AU!' She-Man en co. stonden in de mist. Ze waggelden rond in de peperwolken.

De kanonnen werkten niet zoals ze hadden gedacht. Ze hadden naar achteren geschoten.

'Verraad!' schreeuwde She-Man. 'Rinus, waar zit je? Ik kan je niet zien!'

Ze stond daar alsof ze blind was. Haar ogen traanden en uit haar neus druppelde snot.

'Mijnwerker! Hiervoor zul je boeten!'

Ze slingerde haar pepergeweer een eind weg. 'Pak die kauwgumkanonnen, meiden!' In haar stem klonk pure, ijskoude haat. Ze hief het machtige wapen. Ze legde aan. Op ons. Op ons en op Rinus, en alle zeven Monsters deden hetzelfde.

'Die ouwe is van mij!' siste She-Man en toen brulde ze: 'Knal ze tegen de vlakte! Nu!'

De branders aan de tanks lichtten op. De kauwgumboeienkanonnen sisten en zoemden als laserstralen en toen schoten de lauwe, plakkerige draden als lichtflitsen uit de tanks.

We wierpen ons allemaal op de grond. We beschermden ons hoofd met onze armen. We bereidden ons erop voor dat we voor altijd en eeuwig onder een laag kauwgum zouden verdwijnen...

Toen hoorden we de woedende vloek van She-Man: 'Alle marshmallow-muizen! Bulldog, kun je niet richten?'

'Hazenlip!' schreeuwde Orka. 'Ben je blind of zo?'

En toen brulden alle Monsters wild door elkaar.

'Jullie moeten op hen schieten, hoor!'

'Op hen!'

'Niet op ons!'

Maar dat was gemakkelijker gezegd dan gedaan. De kanonnen schoten namelijk niet rechtuit. Hun monden draaiden naar rechts en naar links en zo raakten de Vrolijke Monsters Rinus niet en ons ook niet. Nee, ze raakten zichzelf. Ze werden stevig in plakkerige kauwgumslierten gedraaid tot ze eruitzagen als ontplofte michelinmannetjes.

'Alle vaten met krokodillensnot!' riepen Rocco en Deniz verbaasd.

We lieten onze armen zakken en keken om ons heen. We konden het echt niet geloven.

'Zo, mensen!' riep de opa van Leon en Marlon. 'Dit is het betere werk!' Hij keek zijn jongste kleinzoon aan en vroeg: 'Wil je mij nu nog steeds slaan?'

'Gillende krokodillen, opa!' lachte Leon. 'Natuurlijk niet.'

'Gelukkig maar!' zei opa met een brede glimlach. 'We moeten hier namelijk zo snel mogelijk wegwezen. We gaan, mensen!' En de volgende zin zei hij zo hard en zo paniekerig, dat de Vrolijke Monsters hem ook echt begrepen. 'We moeten hier weg zijn vóór ze in de weer gaan met de bloedzuigerkatapulten.' De oude man sprong op. Hij trok een lange neus. 'Heb je dat begrepen? De bloedzuigerkatapulten!' Toen rende hij weg richting lift.

'Kom mee,' riep hij. En terwijl de Vrolijke Monsters hun armen in de lucht staken, sloegen we allemaal op de vlucht.

'Vuur!' schreeuwde She-Man tegen onze ruggen. 'Pak ze, voor ze bij de lift zijn!'

We trokken ons hoofd in. Warme en koude rillingen vlogen langs onze ruggengraat op en neer en we stelden ons voor hoe de bloedzuigers ons te pakken kregen.

'Niesende nijlpaarden!' jammerde Raban die naast me liep. 'Ik háát de Beestige Beesten!'

Maar She-Man haatte ze nog veel meer. Neem dat maar van me aan! Het dikke meisje staarde op dit moment alleen nog maar naar haar armen en alle andere Vrolijke Monsters deden hetzelfde. Ze hadden de katapulten afgeschoten. Maar helaas hadden de kauwgumdraden de katapulten aan hun onderarmen vastgeplakt. De Monsters konden ze niet meer bewegen. De katapulten zeiden alleen maar 'klak' en met die 'klak' gingen de kleine mandjes open en kroop de levende munitie eruit... De bloedzuigers glipten bliksemsnel daarheen, waar ze zich het fijnste en het veiligste voelden: onder de laag lauwe kauwgum, en in de kleren van de Vrolijke Monsters.

'Hé, ouwe!' joelde She-man. 'Ik maak je dood! Jij krijgt spijt, mijnwerker. Jij gaat aan helse kwalen lijden. Ohooho!'

Ze jankte en jammerde zo hard dat haar middenrif dreigde te scheuren en de andere ooit zo Vrolijke Monsters jankten en jammerden nog harder.

'Alle sissende slangen!' lachte Marlon. 'Opa, u bent de sluwste en slimste piraat die ik...'

Maar op dat moment maakte Rinus de mijnwerker een zij-sprong naar rechts. Hij liet de reddende liftkooi links liggen en rende recht op de gang af die het donkerste en het griezeligste leek.

'Opa! Wat doe je nou?' probeerde Marlon hem af te remmen. 'Deze gangen gaan naar het grote Niets. Regelrecht naar de hel. Daar komen we nooit meer uit!'

'Dat is een terro-toeristische labyrintische val,' zei Josje hijgend.

'Een pekzwavelige duivelsval!' waarschuwde Raban. Hij rende zo hard hij kon en probeerde de jas van de oude man te pakken, maar opa trok zich los.

'Oké,' lachte hij. 'Dan ben ik dat nu. Dan ben ik de pekzwavelige duivel. En wel regelrecht uit de terro-toeristische labyrintische hel.'

Lachend verdween hij in de gang. We keken om ons heen. Achter ons jankten en jammerden de Vrolijke Monsters. Langzaam bevrijdden ze zich uit hun cocons. Ze kropen er als aliens uit, dus we hadden geen keus. We liepen achter de oude man aan, zijn gang in.

'Een pekzwavelige duivel,' lachte de opa vóór ons. 'Dat bevalt me wel! Dat klinkt een beetje als Batman, vinden jullie niet?'

Hij rende een bocht om en daar bleef hij staan.

'Alle vliehiegende o-hoos-terse tapijten!' riep Deniz verbaasd en Fabi floot door zijn tanden.

'Dampende duivelsdrollen!' zei ik zachtjes. 'Nee, vergeleken met dat ding daar is de Batmobiel maar een kinderwagen.'

'Precies,' grijnsde de opa van Marlon en Leon. 'En hij rijdt bovendien op lucht. Kom!' nodigde hij ons uit. 'We moeten verdwenen zijn vóór die Monsters helemaal uit hun cocons gekropen zijn.'

Hij sprong op de zwarte gietijzeren locomotief. Hij drukte op een knop en de locomotief werd omgetoverd in een robotrups waar we allemaal in konden.

'Stap in!' riep Rinus de mijnwerker vrolijk, en we namen de uitnodiging eerbiedig aan.

'Vroeger,' zei de opa van Marlon en Leon, 'trokken ze met deze locomotief de lorries. Toen waren die dingen langzaam en sterk. Maar Hadsjie heeft er voor mij een beetje aan geknutseld.'

Hij haalde een hendel over en de motor sprong aan. Het hele voertuig trilde.

'Horen jullie dat? Voelen jullie dat?' vroeg opa trots. 'Hadsjie ben Hadsjie heeft van een locomotief een raket gemaakt.'

Hij drukte weer op een knop en de drie lampen sprongen aan. Het waren net drie kleine zonnen, zo fel waren ze. Maar het licht kwam niet tot het einde van de eindeloos lange gang. We kregen kippenvel. Wat daar voor ons lag was erger dan de hel, maar Rinus de mijnwerker wist de weg.

'Niet bang zijn,' zei hij geruststellend. 'Ik werkte hier al op mijn dertiende. Dat was na de oorlog. Er was geen ander werk. Toen heb ik hier beneden in de mijn gewerkt.' De opa van Marlon en Leon zweeg even. Hij keek naar de plek waar het licht van de drie schijnwerpers verdween.

'En toen was het hier echt de hel.' Hij streek met zijn hand langs zijn gerimpelde wangen. 'Ja,' knikte hij. 'En wat voor een hel!'

Hij praatte in zichzelf en scheen niets meer te horen. Hij was in gedachten verdiept en leek verdwenen, net als het licht in de donkere gang.

Maar wij waren er nog wél. En daarom konden we horen. En we hoorden hoe de Vrolijke Monsters bij de ingang van de mijngang waren gekomen.

'Joehoe!' riepen ze ons na. 'We komen eraan, hoor. We komen naar jullie toe!'

'Opa, pas op,' fluisterden Marlon en Leon. Ze trokken en plukten aan zijn jas. 'Opa, ze komen! We moeten hier weg.'

Toen ontwaakte Rinus weer uit zijn verleden. Hij hoorde het geschreeuw van de Monsters.

Hij knikte. 'Ik geloof dat jullie gelijk hebben. Goed, dan gaan we,' lachte hij opeens. De gegroefde wielen van de robotrups slipten even. Toen pakten ze de rails. En met een machtige ruk schoot de machine ervandoor over de rails.

'Alle pekzwavelige duivels!' lachte opa. 'Ooit was dit de hel. Maar nu is het hier leuk!'

De Slangenkuil

'Pas op! Hoofden naar beneden!' riep de opa van Marlon en Leon. Op dat moment ging hij met zijn motorhelm rakelings langs een kabel die aan het plafond van de tunnel hing. 'Hier wordt het laag. Dat zou ik bijna vergeten.' En alsof dat een uitnodiging was nog harder te rijden, gaf de opa van Leon en Marlon nu gas.

De onderaardse raket sprong van vijftig naar zeventig kilometer per uur. Jojo, die helemaal achteraan zat in de robotrups, beet bijna in het stof. Hij kon zich nog net aan Rabans bretels vastgrijpen en wapperde de rest van de rit als een vlag achter ons aan.

'O! Ah!' schreeuwde hij en hij bad dat de oude man zou stoppen.

Maar die piekerde daar niet over. Hij schreeuwde alleen zelf: 'O! Ah!' alsof het een ritje in de achtbaan was. Hij lachte en juichte: 'Dit is een helse machine!' En toen zette hij zijn bril op. Zijn motorbril. IJzige duivelsvloek! En alsof hij de helse machine tot nu toe alleen maar had laten warmlopen, boog hij zich over het stuur en gaf nog meer gas.

'En nu gaan we pas echt,' lachte hij. 'Hou je vast allemaal!'

De helse machine steigerde bijna. We schreeuwden 'Aaaaah!' en 'Ooooh'. En Jojo, mijn vriend, wapperde achter ons aan. Ik word weer misselijk nu ik dit opschrijf! Zo schoten we met de wildste opa ter wereld zigzaggend door de mijngangen.

Pas toen ik dacht: *Nu is het te laat. Leon en Fabi, pas op, ik ga over mijn nek,* pas toen stopte hij. En terwijl we allemaal wanhopige pogingen deden onze laatste maaltijd binnen te houden, sprong de opa van Leon en Marlon uit de cockpit. Hij rende over een perronnetje naar een hoek. En daar zagen we een wenteltrap die naar boven ging. Opa klom vijf treden op, draaide zich om en riep: 'Waar blijven jullie nou? We moeten opschieten. Vandaag is het vijf augustus en over twintig minuten is het al donker!'

We keken elkaar aan. We slikten geschrokken. We wensten onze misselijkheid en duizelingen naar de duivel. We joegen alle hoogtevrees erachteraan.

Even later klommen we achter opa de vijftienhonderdzevenenzeventig treden van de wenteltrap op.

Boven stonden we snuivend en hijgend naast een grijnzende opa. We moesten opnieuw slikken toen hij de houten deur openschoof. De houten deur bleek in een reclamezuil te zitten. Zo was de ingang naar de wenteltrap verborgen.

'Ik hoop dat jullie nog kunnen voetballen,' grijnsde Rinus de mijnwerker. 'En ik duim natuurlijk dat jullie winnen!'

Maar we verstonden geen woord van wat hij zei. We hoorden maar één ding. We hoorden het kloppen van het bloed in onze aderen. Met grote ogen staarden we naar de reusachtige bol. Een gifgroene bol met een doorsnee van zo'n veertig meter die zich op machtige zuilen voor ons verhief. Op de bol stond een vlijmscherp vulkaanrood geschilderd logo. Een logo in de vorm van een vampiervleerkattendoodskop.

Onder op de bol van de voormalige watertoren stond een woord in een cirkel.

'Slang-en-kuil,' las Josje hardop. En alsof dat het wachtwoord was, ging de kogel aan de onderkant open. Een touwladder van meer dan vijftien meter hoogte werd neergelaten.

Onze adem stokte. *Vergeleken met onze Slangenkuil,* schoot het door ons hoofd, *is die Duivelspot van jullie maar een suf veldje. Jullie zwarte bal is niet meer dan een knikker. En voor de achtste dimensie, waarin jullie die knikker trappen, schiet ons maar één naam te binnen: pamper-klasje! Ha! Wat zeggen jullie nu?*

Maar, kokende kippenkak, we zeiden niets. Dat deel van de brief had ons gehypnotiseerd. Onze benen werden plotseling zwaarder dan lood. De drang om ons om te draaien werd steeds sterker. De wens om ervandoor te gaan werd bijna ziekelijk. En ik geloof dat we ook al onrustig heen en weer begonnen te schuifelen. Volgens mij verdrongen we elkaar al om weer de wenteltrap af te gaan, terug de mijngang in. We dachten erover terug te gaan naar She-Man. We dansten in gedachten al met Orka en Hazenlip. Maar op zijn doorzichtige camouflagesluipers besloop de oude Rinus ons van achteren en versperde ons zo de vluchtweg.

'Jullie wilden er toch niet tussenuit knijpen?' fluisterde hij verontwaardigd. 'Het is een meisjeselftal! Is dat duidelijk?'

Hij keek ons aan. Hij duldde geen tegenspraak en daarmee was de kous af. Ondanks de hypnose klommen we langs de touwladder naar boven. Met loodzware benen kropen we door het luik. En achter Felix, die als laatste man van de Wilde Bende binnenkwam in de Slangenkuil, viel het luik met een donderende klap in het slot.

Daarna was het donker. Donker en stil. Het enige geluid was het kraken van de lasnaden in het staal waarvan de Slangenkuil gemaakt was. Het klonk als het kreunen van een gestrande stoomwals en wij zaten in zijn buik. Griezelige heksenlist! We zaten alweer in een val.

Er klonken stappen om ons heen. Ze kwamen van rechts, van boven, van links, van voren en van achteren. En ze kwamen recht op ons af.

'Terro-toeristische Uruk-hai!' fluisterde Josje. 'Leon, wie is dat?'

De stappen hielden op. Het staal piepte en kreunde. In de pauzes daartussenin hoorden we toen ook het geratel van ratelslangen.

'KSSSS!' klonk het en 'KSSS! KSS! KS!' weerkaatste het tegen de wanden van de gigantische bol.

'Oké!' riep een stem boven de slangen uit. Ze klonk als glashelder water dat over schuurpapier stroomt. 'Dan gaan we die jongetjes van de Wilde Bende maar een beetje opjutten!'

Het geratel verstomde en het kreunen van het staal ook. Zelfs dat leek de glasheldere schuurpapierstem te moeten gehoorzamen, en die eiste nu vastbesloten: 'Wees wild!'

'Nee! Wilder dan wild!' riepen de anderen.

'Wees giftig en beestachtig,' verlangde de stem.

'Zo beestachtig als beesten!' riep het koor.

'En schiet jullie tegenstanders...!' galmde de stem.

'...naar het einde van de wereld,' galmde het koor.

'Ik kan jullie niet horen!' riep de glazen stem.

En het koor brulde: 'Naar het einde van de wereld!'

Toen was het stil.

'Bij alle ringslangen en adders!' siste de stem. De stilte werd nog stiller. Zo stil als op het moment vlak voor een slang toehapt. En toen sisten ze allemaal luid: KSSSSS! Het was een gevoel alsof er een horde kakkerlakken over je rug kropen.

Lauwe heksenadem! We struikelden een paar stappen terug. We grepen elkaar automatisch bij de hand. En toen de bouwlamp-schijnwerpers in de Slangenkuil opvlamden, stonden we daar als Hans en Grietje die zo bang waren in het donkere woud. Voor ons stonden de Beestige Beesten!

Vuurrode kousen groeiden uit schoenen die eruitzagen alsof ze niet van leer waren, maar van geruwd staal. Op de gifgroene tanktops prijkte in oogverblindend vulkaanrood het vleerkatten-vampiertanden-logo. Namen en nummers stonden op de rug van de tanktops of naveltruitjes en op de gifgroene minirokjes brandde dwars over de billen de woorden: *Beestig Beest.*

'Hoi!' grijnsde het meisje met de glasheldere stem die als water over schuurpapier stroomde. 'Leuk dat jullie er zijn. Ik heet Lizzie. Lizzzzie die uit de heup schiet,' siste ze en ze grijnsde als een slang. 'En dit is mijn oudere zus.'

Ze blies een pluk haar uit haar gezicht en wees kauwgum kauwend naar het meisje dat naast haar stond. Zij hield haar halflange rode haar in toom met een voorhoofdsband, net als Marlon.

'Moon,' knikte het meisje alsof ze een buiging maakte. 'Lara Moon die dol is op netwerkers.'

'En ik, ik ben Kisssie, die de wervelstorm kussssst.' Het meisje legde haar arm om de schouder van Lizzie en liet een onweerstaanbare glimlach zien. 'Ik ben spits op rechts.'

'En ik op links,' meldde een Turks meisje. 'A-ha-haysha op het vlie-hiegende tapijt.' Ze knipoogde verleidelijk naar Deniz. Die werd knalrood.

Een seconde later werd hij gered door een meisje dat heel bleek was en verschrikkelijk ernstig. 'Net als ik,' legde ze uit. 'Ook ik speel op links en ik heet Sara. Sara, de sterrenregen-ruiter.' Ze streek haar pikzwarte haar uit haar gezicht en probeerde een glimlachje.

'Hoi, ik ben Yvette,' nam het tegendeel van Sara het woord. Ze begroette ons met een supertruttig kniebuiginkje. 'Yvette, Finito, Basta, Punt Uit. En zij daar,' ging ze verder, 'is Donder-slag-Neeltje. Marc, zij heeft die bal in je kamer getrapt.'

'Getrapt.' Ik slikte. 'Dat noemt ze getrapt.'

Max 'Punter' van Mau-rik dacht hetzelfde. Hij keek vol eerbied naar de gespierde Neeltje. On-danks alle ernst blonk er een glimlachje in haar bruingroene ogen.

'En ik ben Fli-Fla, de superstuiterbal.' Het kleinste Beest zette haar veren op, hoewel ze er eerder als een kogelvis uitzag. Ze schudde haar met strikjes versierde vlechtjes en deed zo belangrijk dat haar bril besloeg.

Ik kon niet anders. Ik moest aan Raban denken. Zijn blik – toen ik hem aankeek – was zeer onheilspellend.

'Driemaal ingegroeide teennagels!' waarschuwde hij me. 'Eén verkeerd woord en...!'

'Wat heeft dat te betekenen?' vroeg Fli-Fla de superstuiterbal. Raban verschool zich achter Josje. 'Driemaal ingegroeide teennagels! Ik geloof dat ik gek word.' Ze balde haar vuisten. 'Schiet op, leg even uit. Ik wil het weten. Krentenbolhappige tuttenbedoening!'

'Inderdaad,' zei het enige meisje dat wij nog niet kenden. 'Wat een tuttenbedoening! Waar wachten we eigenlijk op? Laten we beginnen!'

'Maar hij heeft...' Fli-Fla hapte naar lucht, maar Lizzie duldde geen tegenspraak.

'Anna heeft gelijk,' besloot ze en toen wendde ze zich weer tot ons. Nee. Ze wendde zich deze keer tot mij.

'Marc,' zei ze met een glimlach. 'Ik wil graag iemand aan je voorstellen. Dit is Anna "Queen" Khan, de dochter van de panter, en die staat nu al tweeëntwintig wedstrijden ongeslagen in ons doel. Wat we van jou niet kunnen zeggen. Ik bedoel, hoeveel delen zijn er intussen van het *Guinness book of Records* verschenen om iedereen erin te krijgen die een goal bij je heeft gemaakt?'

'Vergiftigd duivelsgehakt,' siste ik woedend. 'Kijk het maar na. Maar ik zeg je één ding en daarvoor durf ik mijn keeperhandschoenen in het vuur te steken: jullie zullen daar nooit in komen te staan. Geen van jullie, al komen er honderd delen van het *Guinness book of Records.*'

Ik keek eerst Lizzie strak aan en toen Anna 'Queen' Khan. We staarden elkaar aan als twee boksers kort voor de wedstrijd. Toen haalde het meisje met de indianenvlechten haar schouders op.

'Dat zijn maar woorden,' zei Anna. 'Laten we beginnen.'

De langste voetbalwedstrijd ooit

De schijnwerpers hingen in het midden van de Slangenkuil en schenen op ons en het voetbalveld. Dat veld strekte zich uit over de bodem van de bol en liep langs de gekromde wanden omhoog. Er waren geen buitenlijnen en de enige afbakening die we ergens zagen, waren de doelen. Die zaten ongeveer dertig meter van elkaar aan de stalen wand vast. Ze waren gemaakt van aan elkaar gelaste steigerbuizen. En de doellijn was een balk zo breed als een hand. Alleen op die balk kon je balanceren en staan. Verder was de bodem voor de keepers te steil. Verraderlijke hellepot! Verloor je je evenwicht of viel je bij een afwerende slag of schop naast de balk, dan rolde je onherroepelijk naar het midden van het veld.

We keken elkaar aan. Hoe moet je hier spelen, dachten we. En toen vroeg iemand van bovenaf het woord.

'Hé, hallo allemaal. Oei-oei, wat ruik ik?'

We keken naar boven, in het donker tussen de glanzende bouwlampen.

'Is het misschien angst?' klonk opnieuw de vrouwenstem. 'Angst voor jullie eigen lef? Heel goed.'

Op dat moment ontdekte Felix het rode busje.

'Daarboven zit ze!' riep hij. 'Precies in het midden.'

Maar voor we haar zagen, zagen we de rode volkswagenbus. Hij hing helemaal boven in de bol onder de noordpool, en hij

was duidelijk bewoond. Hij had een camper-dak en aan de zij-
kant van het busje was een tentluifel. Onder de luifel was een
vlonder. Koffers en kisten hingen aan de achterkant, zoals bij
een postkoets uit een western. En op de vlonder zat nu een
vrouw met slordig opgestoken roodblond haar.

'Ja, blijkbaar bestaat dat echt,' dacht ze hardop. 'Angst voor
je eigen lef.' En alsof ze deze stelling wilde testen, sprong ze
van de vlonder...

'Alle duivels...' riep Raban, die zich doodschrok.

Maar de vrouw stortte niet voor onze ogen in de diepte. Ze
greep een trapeze en zakte daaraan elegant naar beneden.

'Dansende pelikanen!' verbaasde Rocco zich, maar hij verbaasde zich een beetje te luid.

'Wat zei je daar?' siste de vrouw. Ze landde met een dubbele achterwaartse salto voor de Braziliaanse tovenaar. 'Wou je
soms beweren dat ik op een pelikaan lijk?'

Ze keek hem boos aan. Ze ordende haar wild bij elkaar gestoken haar een beetje. Of moet ik zeggen: ze woelde het nog iets meer door elkaar? Ik weet niet hoe ik het moet noemen.

'Wou je beweren dat we eruitzien als een zootje rare vogels?' Ze plukte aan haar lavarode-met-gifgroene baljurk. Ze streek de oude koetsiersjas glad die ze eroverheen droeg en boog zich zo, rood-gifgroen-blond over de arme Rocco. 'Wat is er dan, jongen, ik praat tegen je.'

Rocco slikte. 'Bij... S-santa P-panter in de roofdierenhemel,' stotterde hij zachtjes. Hij zag hoe ze bij deze vloek even met haar ogen knipperde.

De vrouw boog haar hoofd. Ze keek naar Rocco. Ze bedacht wat ze met hem moest beginnen en toen liet ze een dreigend: 'Ggggg!' horen. Ze gromde alsof ze zijn hoofd eraf wilde bijten, maar toen hield ze op en grijnsde.

'Zo,' glimlachte ze. Ze liep nog een keer om Rocco heen. 'Grrrrr! Ik bén een panter!'

Ze spreidde haar armen uit en draaide een keer rond. De baljurk waaierde wijd uit.

'Ik ben een panter,' zong ze, 'een panter, een panter!'

Toen maakte ze een buiging. 'Welkom bij de Beestige Beesten. Jullie hebben al kennisgemaakt met de meiden en ik ben Cisssscaaa, hun trainster.'

Rocco, Leon en Marlon keken elkaar aan en Vanessa en Annika rolden met hun ogen. *Zij, een trainster?* dachten we allemaal, en weer las Ciska onze gedachten.

'Precies!' zei ze. 'Hun trainster. En wij hebben alles over jullie en die Willie van jullie gehoord.'

Ze zweeg even. Ze keek om zich heen en fronste haar voorhoofd in diepe plooien.

'Maar waar is hij nu?' vroeg ze bezorgd. 'Hé! Waar is

Willie? Waar is de beste trainer ter wereld? Is hij soms ziek geworden en naar huis gegaan?' Cisca's bezorgdheid veranderde op slag in spot. 'Of laat hij jullie weer in de steek? Ik bedoel, zoals in jullie eerste wedstrijd tegen Dikke Michiel en zijn Onoverwinnelijke Winnaars? Is Willie bang?' Ze sloeg haar handen tegen elkaar alsof we een cadeautje hadden meegebracht dat ze al eeuwen had willen hebben. 'Och, maar dat spijt me dan vrééééselijk,' zei ze blij. 'Jullie weten toch wel dat jullie zonder hem niet kunnen winnen? Dat is jullie nog nooit gelukt. Hebben we allemaal gelezen.'

Dampende duivelsdrollen! Die Cisca genoot van elk woord. Ze liet ze smelten op haar tong en ze wist – dampende duivelsdrollen – dat ze met elk woord gelijk had. En daarom nam ze de tijd. Ze gaf ons de tijd om van haar spot te genieten. Om ons eenzaam en verlaten te laten voelen, alleen en verloren, tweehonderd kilometer van huis. In een reusachtige bol van staal samen met een horde vervelende meiden en een nog veel vervelender, boosaardige vrouw.

'We hebben ze allemaal gelezen,' zei Cisca nog eens. 'Alle twaalf delen. In het begin bewonderden we jullie zelfs. Ja, we vonden jullie zóóó helemaal te gek. Maar toen hebben we gemerkt wat voor schijtlijsters jullie in werkelijkheid zijn. Bangerds... miserabele lafaards...'

'Ho! Ho! Ho eens even!' viel Deniz haar in de rede. Maar het opperbeest van de Beestige Beesten praatte gewoon door.

'...bangerds die het van angst in hun broek doen als iets er alleen al als meisje uitziet.'

'Ach, wat interessant!' lachte Vanessa. 'En wij dan?'

'Ik heb het over meisjes die zich ook als meisjes gedragen,' counterde Cisca. 'En geen meisjes die alleen maar proberen de betere jongens te zijn.' Ze liep naar Vanessa en nam haar op met een blik zo scherp als een fileermes. 'Ik heb het niet over meisjes die niet meer weten dat ze meisjes zijn. Die met de jongens voor een schutting gaan staan, om samen staande te plassen.'

Vanessa's wangen werden knalrood en bij Annika leek het of haar haar zelfs rood werd.

'Konijnenwatjeskwastkont,' fluisterde de drakenrijdster. 'Nog één verkeerd woord, Cisssscaaaa, en ik sta niet meer voor mezelf in.'

De trainster van de Beestige Beesten zweeg. Ze keek Annika onderzoekend aan. Ze bekeek het meisje van top tot teen. Maar Annika doorstond de scherpe blik woedend en zonder zelfs maar met haar ogen te knipperen.

Cisca knikte. 'Toch voelden we nog steeds een diep respect. We hebben alles over de Wilde Bende gelezen. Elk boek. En we hebben ons met jullie gemeten: we hebben met honden gevoetbald. We hebben het Dikke Michiel-meisje overwonnen. We hebben het Dal van de Lange Messen veroverd en ons in de oude mijn gewaagd. We hebben een club opgericht met een logo, shirts en spelerscontracten. We hebben tegen Sittard, Heerlen en Hoensbroek gespeeld. En we hebben ons zelfs niet verstopt voor de skaters, voor Scarlett, voor de boosaardigen en de naamlozen. We hebben het waterbom-slalomparcours nagebouwd. En we hebben zelfs jullie Lancelot-proef hier in de Slangenkuil afgelegd.'

Ze zuchtte en keek ons medelijdend aan.

'We zijn kampioen geworden in de adder-divisie en nu moeten we nog van één club winnen...'

'Net als wij!' Ik moest het zeggen, ik kon het niet meer uithouden. 'Krakende krabbenklauwen! Waarom sta je hier zo lang te kletsen?'

'Laten we beginnen!' zei Raban. Hij vermande zich en was eindelijk weer onze manager. Hij keek nog bozer dan

Koeman als Ajax van Hoofddorp verliest en nog wel in de finale van de Champions League. 'We beginnen, en we schieten deze aardige meisjes naar waar ze al lang zouden moeten te zijn.'

'Ja, terro-toeristische gluiperds!' Zelfs Josje verloor zijn laatste restje angst. 'We schieten ze naar de maan!' Hij grijnsde en stak zijn hand op voor een high five.

'En daarna naar de hel!' grijnsde Raban en hij sloeg tegen Josjes hand.

Cisca, de trainster, hoorde het klappen van de handen dat in de reusachtige bol wegstierf. 'Nou nou!' Ze legde haar hand achter haar oor. 'Dat klonk dapper, zeg.'

Toen draaide ze zich om naar Lizzie. 'Open de luiken,' beval ze.

En terwijl de Beestige Beesten deden wat ze vroeg, legde ze ons de regels van het spel uit. 'Rond middernacht is het rust. Een uur lang kunnen jullie uitrusten. Dan kunnen jullie je meteen afvragen of jullie nog fit genoeg zijn voor de tweede helft. Want die is het zwaarst. Die duurt niet alleen tot zonsopgang. Hij wordt ook nog onder de voorwaarden van de Lancelot-proef gespeeld.'

Ze zweeg even. De stilte was geladen en ik geloof dat ze op zijn minst wat gemompel van ons verwachtte. Iets als: 'O, wat vreselijk!' of een: 'O nee, hè!' Maar Leon was totaal niet onder de indruk.

'Oké, ik snap het,' zei hij droog. 'En wat gebeurt er als het onbeslist blijft?'

'Dan wordt het een strafschoppenduel tussen revolverhelden,' klonk het net zo droge antwoord. 'Zien jullie dat luik daarboven?' De trainster van de Beestige Beesten wees naar een opening zo groot als een eetbord. Door dat gat vielen de laatste zonnestralen op een reflector. 'Zodra de zon verdwijnt, laat de reflector een slot openspringen boven in de koepel. Dan valt van bovenaf de bal in het veld. Dat veld beslaat de hele bol. Er is geen "uit", begrijpen jullie dat? Je kunt langs de wanden omhooglopen zover je kunt komen en als je de bal naar boven schiet, gaat de wedstrijd door op de plek waar hij weer neerkomt.'

'En wanneer is het afgelopen?' vroeg Leon alsof de wedstrijd helemaal geen probleem was. 'Wanneer begint dat gedoe, ik bedoel het strafschoppenduel van revolvermannen?'

'O,' glimlachte Cisca. 'Dat heeft tot nu toe nog niemand meegemaakt, omdat elk elftal de handdoek in de ring heeft gegooid.'

'Duidelijk,' knikte Leon. Hij slikte moeilijk. 'Maar het spijt me, wij gaan geen handdoeken gooien. We hebben ze niet meegebracht.'

Nu slikte de trainster moeilijk.

'Oké,' zei ze. 'Daarvoor hebben we het luik op het oosten. Zodra het eerste licht van de zon daardoorheen valt, klinkt een oude, maar harde sirene. Dan wordt de wedstrijd afgefloten. Dat geluid is voor de winnaar al nauwelijks te verdragen. Maar voor het geval het dan doorgaat, zal de sirene de zenuwen van de twee revolvermannen,' ze knipte met haar vingers, 'verscheuren als oude spinnenwebben.'

'Dat zien we dan wel,' antwoordde Leon.

Hij keek naar boven, naar het luik op het oosten. Hij zag dat het begon te schemeren. Hij dacht even na of er nog tijd genoeg was en toen riep hij ons in de kring. We legden onze armen over elkaars schouders en haalden drie keer langzaam adem.

Leon keek ons een voor een aan en zei: 'Mensen, dit is niet alleen de langste, de moeilijkste en de hardste, maar ook de belangrijkste voetbalwedstrijd van ons leven. En we moeten het helemaal alléén doen. Willie is weg. Waarom hij niet hier is, weten we niet. Maar hij heeft ons in de steek gelaten. Daar heeft de trainster van de Beestige Beesten gelijk in. En ze heeft ook nog gelijk in iets anders: angst, gillende krokodillen. Ik ben echt bang! Doodsbang. Voor het eerst sinds de Wilde Voetbalbende bestaat, geloof ik niet dat we dit redden.'

Hij slikte en wij deden hetzelfde. Dampende duivelsdrollen! Zo maakten we geen schijn van kans. Zo waren we gewoon nep. Zo zagen we er alleen maar uit alsof we wild waren, maar in werkelijkheid waren we zo bang dat we sidderden als een stel sidderalen met knikkende knieën.

'Jullie weten nu hoe het ervoor staat,' zei Leon ernstig. Hij wachtte tot het allemaal tot ons was doorgedrongen. Maar toen, toen glimlachte hij opeens listig. 'Er is maar één ding waarmee ik jullie een beetje moed kan geven.' Hij wees met zijn hoofd naar de Beestige Beesten. Die stonden in een kring om Cisca heen. 'Zij zijn ook bang. Anders hadden ze ons niet die slijmerige vleermuizentroep om de oren gesmeerd. Bij hen staat er net zo veel op het spel als bij ons. Daarom vraag ik jullie: zullen we het toch maar proberen? Schieten we die gifgroene Beesten vannacht naar de maan? Antwoord me dan zo hard als jullie kunnen!' Hij haalde diep adem.

'Alles is cool!' riep Leon heel hard en wij riepen, nee, we schrééuwden terug: 'Zolang je maar wild bent!'

'Wees wild!' riep onze aanvoerder nog veel harder.

'Gevaarlijk en wild!' riepen we hard terug.

De Beestige Beesten keken allemaal om. Ze hadden over onze kreten al vaak gelezen, maar ze hadden ze nog nooit gehoord.

'Een! Twee! Drie!' telde Leon en toen schreeuwden we allemaal samen een oorverdovend 'RAAAAAA!'

De Beestige Beesten krompen in elkaar. Ze leken een moment lang verlamd. En op datzelfde moment viel de gifgroene bal uit de koepel naar beneden.

'Marc, in het doel! Fabi, jij bent spits met mij en achter heb ik Joeri nodig. Plus jou, Max, met je Drievoudige M.S.!'

En terwijl Leon dit riep, pakte hij de bal met zijn voeten. Hij liet Lizzie staan, en Kissie kreeg een panna. Leon rende net zo lang richting Beestendoel tot Lara-Moon en Yvette de verdediging op zich namen en hij even de weg kwijtraakte.

Pas toen gaf hij op het laatste moment de bal door. En terwijl Anna 'Queen' Khan, de dochter van de panter, nog onderweg was naar haar doel, haalde Max 'Punter' van Maurik genadeloos uit.

BOEMMM! donderde het. Alsof hij aan een

touw getrokken werd schoot de bal direct en onherroepelijk van vijftien meter afstand naar het vijandige doel. De bal ging recht op de hoek af. En ik, ik balde al mijn vuist. De panterdochter was nog niet in haar doel. Ze was nog op de steile kromming van de stalen bol. Maar ze zette zich af. Ze siste van woede. Ze ging omhoog, steeds hoger. Ze rekte en strekte zich naar de bal. Met een wanhopige schreeuw – die meteen een schreeuw van pijn werd – raakten haar vingertoppen de bal en ze stuurden hem een paar graden uit zijn baan.

De bal raakte even de lat en sloeg toen tegen de wand. Wij verwerkten onze teleurstelling. Anna 'Queen' Khan rolde langs de kromming van de Slangenkuil naar beneden. Ze trok haar keeperhandschoenen uit omdat ze even wilde kijken of haar vingers nog allemaal op hun plaats zaten. De bal schoot eenmaal de binnenkant van de bol rond en vloog toen met een snelheid die maar nét onder mach 1 kon liggen, langs mijn linkerdoelpaal in het veld terug.

Bij de kokende heksenketel! Dit kenden we niet. Aan zoiets moesten we eerst even wennen. En daarom keken Joeri, Max, Leon en Fabi alleen maar toe hoe Lizzie die uit de heup schiet, zonder aanloop opsprong en het leer met een ultrasnelle zijvalvlieg-volley naar ons doel terugknalde.

BENG!

De bal draaide naar de rechterbenedenhoek. Ik kon niets anders doen. Het schot kwam te snel. Ik was volledig verrast. Lizzie was ver genoeg weg om de bal mooi weg te stoten. Maar ik leek mijn oma wel, in plaats van Marc de onbedwingbare, en gooide mijn voet tegen de bal. En daarmee voorkwam ik in de allerlaatste nanoseconde een extreem pijnlijk doelpunt. Mijn actie was trouwens niet minder pijnlijk. Ik stuiterde met mijn billen op de balk. Ik gleed van de balk op de ronde bodem. Ik begon al, net als Anna 'Queen'

Khan, helemaal naar de zuidpool te glijden. Toen zag ik Donderslag-Neeltje. De bal die ik had tegengehouden, vloog naar haar toe en ik zag haar geconcentreerde gezicht. Ik zag de glimlach achter de ernst in haar ogen en ik zag ook dat ze met haar linkervoet uithaalde!

Kokende hellekolk!

En toen zag en hoorde ik hoe haar wreef de bal trof.

'KABAMMM!' kraakte het. En met die klap hield elk geluid in de stalen bol plotseling op, behalve het fluiten. Het zachte, snijdende fluiten waarmee de bal door de lucht vloog. Hoewel nu alles al in slow motion ging, was ik zo langzaam als een slak. Ik deed er een eeuwigheid over om me weer op de balk te hijsen. Opstaan kostte nog meer tijd. Ik sprong alsof ik lood in mijn schoenen had en de bal vloog naar de linkerbovenhoek van het doel. Ik rekte en strekte me, maar het leek alsof ik begon te krimpen. De hoek leek eerder verder weg dan dat hij dichterbij kwam. Toen schreeuwde ik mijn hele woede eruit!

'AAAHHHH!' schreeuwde ik zo hard ik kon. En met deze schreeuw kwam ook het geluid terug.

Het lood verdween uit mijn schoenen. Ik schóót omhoog. Ik groeide en balde mijn vuisten. Ik trok mijn knieën tegen mijn buik en mijn armen tegen mijn lijf. Ik keek strak naar de bal. Ik scande de bal. Ik onderzocht hem als de boordcomputer van een gevechtsraket tussen verschillende melkwegstelsels.

Object: rond, leer zo hard als titanium.

Snelheid: mach 0,097759.

Temperatuur: magmahoog vier in kwadraat maal oneindig.

Aandrijving: Beestige Beesten-schot-nitro-injectie.

Inslagtijd: in 0,028 seconden.

Effect: totaalkeepervuistverpulverend.

Ik deed mijn ogen dicht. Ik stuurde een laatste schietge-bedje aan de voetbalgod en toen wierp ik me tegen de bal. Mijn lichaam begon te trillen. Mijn vuisten voelden aan alsof ze zouden barsten. Maar vóór ik zelfs maar pijn kon voelen, sloeg de bal van mijn vuisten terug. Stralend en fon-kelend vloog hij naar Joeri.

Terwijl Joeri het leer uit de lucht plukte, keken Anna en ik elkaar aan.

'Gespleten slangentong!' fluisterde ze. En terwijl ik op de balk viel die in mijn goal de doellijn was, zag ik de eerbied in haar ogen. Ik zag het respect.

'Gespleten slangentong!' siste ze nog een keer, maar toen sprong ze omhoog.

Ze sprong omhoog omdat Joeri een pass naar rechts maak-te, en ze rende naar haar doel omdat Fabi met die bal nu over rechts rende. En ze moest zich haasten ook, want Fabi schoot de bal naar links. Op hetzelfde moment dat ze op de balk in haar doel sprong, maakte Leon al een luchtsprong. Hij draai-de zijn linkerbeen om zijn as en schroefde zich de hoogte in. Genadeloos liet hij zijn rechterbeen volgen en hij vuurde de gifgroene bal met een stoomhamerslag op de linkerdoelpaal af. Het leer paste precies. Ik zag al hoe het hekwerk van het doel begon te trillen, toen de dochter van de panter de bal uit de lucht viste alsof het een onschuldig veertje was.

'Dampende duivelsdrollen!' fluisterde ik. En toen ze me aankeek, snoof ik: 'Shit, wat ben jij goed!'

'Maar jij ook!' knikte ze. Toen moest ze lachen. 'Dit wordt de wedstrijd aller wedstrijden!' las ik van haar lippen.

En ik gaf haar gelijk: 'De wedstrijd aller wedstrijden, en ik wens je veel geluk.'

'Dank je. Dat kan ik wel gebruiken!' zei ze. Ze keek me heel kort, heel diep in de ogen en toen grijnsde ze. 'Maar jij ook!'

Ze gooide de bal naar Yvette. Die passte hem verder naar midvoor, maar daar scheen niemand op het leer te wachten. In elk geval geen van de Beestige Beesten. Marlon de nummer 10 had alle tijd van de wereld. Hij liep de bal nonchalant tegemoet. Maar kort voor hij hem wilde aannemen, dook Lara-Moon uit het niets recht voor hem op. Het meisje jatte de bal van Marlons voet weg. Marlon dacht dat hij in de spiegel keek en zichzelf zag staan in een meisjespakje. Lara-Moon bracht de bal met een nachtmerrieachtige dieptepass langs Joeri. Die deed een uitval naar de bal, maar greep in het niets. Van rechts kwam Kissie aangestormd. Het meisje dat de horizon kust had geen foefjes nodig. Ze schoot eenvoudig en zonder franje. Vanuit de scherpste hoek van de doellijn stuurde ze de Beestige bal naar mij en duwde hem net nog over de lat.

'Krakende krabbenpoten!' fluisterde Fabi toen hij het zag, en dat dachten we allemaal.

Lizzie en Leon overtroffen elkaar beurtelings in hun schoten op het doel, hun slalomgedribbel en het geven van de goede voorzetten. Aysha en Deniz gaven elkaar niets toe. Joeri en Yvette verviervoudigden zich allebei. Ze brachten de spitsen van de tegenstander tot wanhoop. En Sara de sterrenregenruiter nam het op tegen drie jongens van de Wilde Bende. Maar het lukte Felix en Rocco niet dit Beest te overwinnen. Max en Donderslag-Neeltje schoten de gifgroene bal afwisselend met nieuwe snelheidsrecords – Beng! Kadeng! Boinggg! – door de Slangenkuil. En Raban en Fli-Fla de superstuiterbal vergeleken hun verkeerde en totáál verkeerde benen. Dik een uur speelden we allemaal op topniveau. Het was de beste wedstrijd die de Wilde Voetbalbende ooit gespeeld heeft. Maar toen eiste die prestatie haar tol. We werden moe. Onze voeten deden pijn. Onze spieren brandden en daarmee slopen er concentratiefouten in. Verkeerde passes hoopten zich aan beide kanten op. Het was geen uitzondering meer als we onze posities vergaten. In plaats van elkaar te prijzen, bekritiseerden we elkaar. We begonnen te schelden. We schreeuwden tegen elkaar. De Beestige Beesten hadden een trainster die hen bij de hand nam, allerlei goede raad gaf en weer moed insprak. Wij waren alleen.

Bittere heksenkwijl!

We verloren de moed. Ons spel werd rommelig. Ons team viel terug in stomme ieder-voor-zich-acties. En uiteindelijk stonden we allemaal voor mijn doel alsof we met de rug tegen de muur stonden. We verdedigden ons tegen de spitsen van de Beesten en hoopten dat het gauw middernacht was.

Eindelijk, ja eindelijk sloeg een klok. We telden de slagen en kwamen tot acht. Op dat moment schoot Donderslag-

Neeltje van dik vijftien meter afstand. Joeri en Max gooiden zich tegen de bal en lieten hem afwijken. Ik dook al in de linkerbenedenhoek, maar de bal vloog onbereikbaar naar rechts. Hij sloeg tegen de paal en viel terug in het veld. Kort voor Annika hem met haar heksenninjasprong uit de gevarenzone kon slaan, pakte Lizzie het gifgroene leer. Ze wipte hem op de een of andere manier – NEEEEE! – óver de drakenrijdster in mijn doel.

Daarna sloeg alleen nog maar de klok. We voelden ons als boksers die verdoofd in de ring lagen. De klok telde voor ons. Hij sloeg negen, tien, elf, twaalf en we hadden zo goed als verloren, toen de gong ons redde.

'Rust!' riep Cisca, de trainster.

Daarna was het doodstil. Zo stil dat zelfs het gejubel van Lizzie, Kissie en co. in deze stilte verstomde.

Middernacht – spookuur

We gingen zitten en verroerden geen vin meer. We zeiden geen woord en we dachten maar één ding: laat deze rust héél, héél lang duren.

Maar dit gevoel werd al snel weer verstoord door Cisca. 'De tweede helft wordt gespeeld onder de voorwaarden van de Lancelot-proef.' Dat had ze ons verteld en daar ging ze nu mee aan de slag. Ze trok aan hendels en aan touwen. Stalen schotten en andere hindernissen werden opgesteld. Droogmolens die strozakken in het rond draaiden, leken uit de bodem te groeien. In het licht van de schijnwerpers zakten reusachtige bundels natte lompen naar beneden de Slangenkuil in. Ze zwaaiden heen en weer. Kadóóngg! vlogen ze over onze hoofden: Kadóóngg! En Sssproeoetsjj! zwaaiden ze weer terug. We zagen het allemaal en we zagen het niet. Ik bedoel, we zagen het zoals je naar een film kijkt in de bioscoop. Dat hoorde niet meer thuis in onze wereld. Dat was over en uit. We lagen achter. Die 0-1 was voor ons duizendmaal erger dan de 0-7 tegen de NAC Junioren. En toen hadden we niet eens shirts of voetbalbroeken aan. We werden toen door de tegenstander in onze onderbroek naar de hel gestuurd.

Het was over en uit! Daarom zaten we daar. Daarom zei niemand een woord. En daarom ontweken we elkaars blikken. We waren allang niet meer kwaad op de Beestige Beesten. We waren kwaad op onszelf. De woede knaagde aan ons en groef zich steeds dieper in onze ziel.

Krakende krabbenpoten! Ik balde mijn vuisten. Deze rust was ons graf en elke minuut die ik hier nog langer zat, doofde een wilde vonk in me. Ik keek Leon aan, Marlon en Fabi, maar die drie schudden langzaam hun hoofd. Vanessa en Annika staarden naar hun voeten en Felix en Max hadden ruzie met zichzelf.

Ik sprong op. Ik liep naar de Beestige Beesten en ik vroeg of ze me een fiets konden lenen.

'Waar heb je die voor nodig?' vroeg Lizzie. 'Wil je 'm stiekem smeren?' Ze keek me grijnzend aan, maar dat interesseerde me niet.

'Ik ga Willie halen,' zei ik. 'We hebben hem nu nodig.'

'Je meent het,' lachte Kissie die de horizon kust. Maar ze verspilde daarmee alleen maar mijn kostbare tijd.

'We hebben hem nodig,' counterde ik, 'omdat we jullie anders niet daarheen kunnen sturen, waar jullie thuishoren. Dus, hoe zit het? Krijg ik nog een fiets of niet?'

'Ik weet het niet,' zei Lizzie die uit de heup schiet. 'Waarom zouden wij jullie helpen om van ons te winnen?'

'Omdat jullie een eerlijke overwinning willen en omdat jullie...' Ik zocht de blik van Anna 'Queen' Khan: '...omdat jullie erkend hebben dat jullie ons hebben onderschat en omdat jullie ons daarom respecteren.'

Ik keek de keeper van de Beestige Beesten strak aan.

'Of hebben jullie misschien hulp nodig om ons te verslaan? Zeg het maar, hoor. Dan bind ik met plezier één arm op mijn r...'

'Dat hoeft niet,' viel Anna me in de rede. 'Je hebt ook wel met twee armen een bal laten schieten.' Ze keek me onderzoekend aan en ik hoorde de anderen lachen. 'Maar ik

begrijp wat je bedoelt.' Anna bleef als enige ernstig. 'Ik geef je mijn fiets. Hij staat beneden onder de Slangenkuil, tegen een van de pilaren. Die pilaar staat direct aan de weg en die weg gaat, als je naar rechts rijdt, naar de eeuwige vlam. Daar wil je toch heen, of niet?' vroeg ze.

Maar ik klom al uit het luik in de zuidpool.

'Bedankt!' riep ik terug.

Ik klom de vijftien meter lange touwladder af. Ik hoorde Cisca roepen: 'Maar je moet opschieten! Klokslag één uur geef ik het startsignaal en ik wacht geen seconde op je!'

Ik sprong op de grond en rende naar de fiets van Anna 'Queen' Kahn. Het was een stoere BMX met de duistere charme van een lavarode Ducati. Ik sprong erop en draaide de weg op naar rechts. Ik wilde maar één ding. Naar de wei. Naar de wei aan de Maas. Want als hier in Eijsden alles zo was als bij ons in Amsterdam, dan herhaalde de geschiedenis zich hier. Dan zou ik Willie daar vinden. Zoals Raban hem gevonden had toen we in onze eerste en tot vandaag belangrijkste wedstrijd gigantisch aan het verliezen waren van Dikke Michiel.

Daarom reed ik daarheen. Het was onze enige kans. Maar toen ik langs de rivier racete en Willie daar naast het eeuwige vuur zag zoals ik het gehoopt en gewenst had, verloor ik de moed.

Néé, dacht ik nog, *hij heeft niet gedronken. Hij heeft het bier in het gras gegooid. Alstublieft, Lieve Heer, maak dat dat waar is!*

Maar Onze Lieve Heer schudde deze keer zijn hoofd.

Willie stond naast het vuur alsof hij met zijn rug tegen de muur stond. Hij had zijn hoed naar achteren geschoven en gebaarde vertwijfeld met een leeg bierflesje. Rond zijn voeten lagen er al een stuk of zes, zeven in het gras.

'Maar ze hebben me nodig. Ze rekenen op me!' zei Willie smekend. 'Ik moet hen helpen.'

Toen sprong hij opeens twee stappen naar voren. Hij maakte zich breed. Zijn houding werd trots. Hij schoof zijn hoed diep over zijn voorhoofd en draaide zich om. Hij keek strak naar de plek waar hij net nog stond en siste toen spottend: 'Welja! En hoe wou je dat doen? Kijk naar jezelf. Je doet het bijna in je broek van angst.'

De spottende Willie deed nog een stap naar voren.

'Geef het maar toe. Je doet het al in je broek sinds je van deze uitdaging weet.'

'Maar maar,' begon Willie. Hij ging weer aan de andere kant staan. Hij schoof zijn hoed naar achteren en deed twee stappen terug. 'Maar... maar... Dat mag toch. Ik meen het. Bij deze wedstrijd staat alles op het spel. Het gaat erom dat...'

'...dat ze verliezen!' viel de slechte Willie hem in de rede. Hij schoof zijn hoed weer diep over zijn voorhoofd en keek strak naar de overkant.

Ik stond een meter of tien van het vuur vandaan en ik zag ze nu allebei. Ja, hoewel er maar één Willie was, die een gesprek met zichzelf voerde, zag ik de twee mannen en ik zag hoe ze ruziemaakten.

'...en ze zullen verliezen. Dat weet jij net zo goed als ik. En daarmee zullen de Beestige Beesten het jullie allemaal bewijzen. Jou en die kleine kereltjes uit Amsterdam. Die kleine, verwende snotapen!'

'Het zijn geen snotapen,' protesteerde de goede Willie. 'Het is het wildste voetbalteam ter wereld.'

'Poeh!' lachte de boze Willie. 'Dat heb je ze maar verteld. Dat heb je ze verteld om jezelf belangrijk te maken. Jij, die

zelf niets kunt. Jij, die met je veertig jaar nog altijd op hetzelfde veldje rondhangt waar je als jochie al een balletje trapte. Mijn hemel! En nu sta je te trillen op je benen. Nu ben je
bang dat alles zal mislukken. Nu zullen die snotapen het
merken. Ze zullen merken dat jij tegen ze gelogen hebt. Dat
ze helemaal niet wild zijn, en het nooit zijn geweest ook.'

De goede Willie keek nu op. Ik zag dat hij huilde.

'Meen je dat echt?' vroeg hij.

'Ja, dat meen ik echt,' antwoordde de slechte Willie ijskoud.

'Maar dan hebben ze me nu juist nog veel harder nodig,'
huilde de goede Willie.

'Nee,' zei de slechte Willie. Hij werd plotseling heel vriendelijk en nam hem zelfs de lege bierfles af. Nee. Ze hebben je
niet nodig. Echt niet. Het spijt me.'

'Maar,' deed de goede Willie een tweede poging. 'Maar...'

Maar de aardige slechte Willie schudde zijn hoofd. 'Nee,' zei
hij weer. Hij pakte een vol flesje bier uit het krat en maakte
het open. 'Je kunt niets voor ze doen. Hier!' Hij reikte de goede
Willie het flesje aan. 'Drink op! Drink tot je alles vergeet.'

En Willie gehoorzaamde. Hij dronk. Hij dronk de fles in
één teug leeg.

'Goed zo,' riep de slechte Willie triomfantelijk. 'Je moet
alles vergeten. Daarom ben ik hier. Daarom heb je me meegenomen. Kom op, Willie, drink!' Hij haalde nog een flesje
uit het krat. 'Drink en vergeet dit hele gedoe. Mijn hemel!
Wat heb je gedaan? Je hebt die jongens al in de steek gelaten
op het moment dat je hun trainer werd.'

'Nee, dat is niet waar,' zei ik. Ik stapte in de lichtcirkel van
het vuur. 'Hij heeft ons nog nooit in de steek gelaten.'

Ik zocht de blik van de goede Willie, maar de slechte was
sterker.

'Wat moet je hier?' voer hij tegen me uit.

Maar ik liet me niet bang maken. 'Ik praat niet met jou!' counterde ik. 'Ik heb het tegen hem daar, onze trainer.'

De ander lachte. 'Je meent het! En wat doe je nu?' Hij knipte met zijn vinger en opeens was hij alleen. De goede Willie was weg. 'Willie, de trainer, bestaat niet meer. Die heeft nog nooit bestaan,' lachte de slechte Willie.

'Hou je kop!' flapte ik eruit. Ik balde mijn vuisten en mijn hart klopte in mijn keel. Zoiets had ik nog nooit tegen een volwassene gezegd. En de slechte Willie had hetzelfde. Zoiets had hij nog nooit van een kind hoeven aanhoren.

'Wat zei je?' siste hij en hij kwam op me af. 'Wat zei je daar? Heb ik dat goed gehoord?'

Maar ik kon niet anders. 'Hou je bek!' snoerde ik hem de mond en – kokende hellekolk! – toen stortte ik me in het verderf.

'Ik praat niet met jou!' snoof ik. 'Want jij bent de leugenaar. Jij bent de lafaard die het in zijn broek doet en ons in de steek laat! Jij, en niet de Willie die ons getraind heeft!'

'Genoeg!' De slechte Willie ontplofte. Hij stortte zich op me. Hij wilde vechten. 'Zoiets laat ik me door niemand zeggen!' schreeuwde hij.

Toen sloeg ik toe. Mijn vuist trof zijn kin. Hij viel op de grond en – donderende duivelsdrek – daar bleef hij liggen. Roerloos. Hij lag daar en staarde met open ogen naar de sterrenhemel.

'Shit,' fluisterde ik. 'Dit is erg, Willie! Zeg iets. Ik bedoel, je... je leeft toch nog wel?'

Willie stak zijn hand op en wreef zich over zijn kin. 'Ik weet het niet,' zei hij peinzend. Hij keek me aan. 'Na zo'n klap ben ik daar niet zo zeker van.'

Hij streek over de plek, die al dik begon te worden.

'Ahhh!' kreunde hij. Maar toen moest hij even lachen en dat lachen, zeg ik je, daar leg ik mijn twee benen, mijn hart, mijn ziel en mijn keeperhandschoenen voor in het vuur! Die lach was volkomen duidelijk en absoluut onherroepelijk de glimlach van de beste trainer ter wereld!

'Heb ik erg veel gedronken?' vroeg hij. Ik wees met een knik van mijn hoofd naar de lege flesjes. Er lagen er negen verspreid in het gras.

'O!' zuchtte Willie. 'Dat is wel heel veel! Dan moet je mij maar op je stuur meenemen.'

'Hè, wat?' vroeg ik. 'Op mijn... wát?'

'Op je stuur,' antwoordde Willie, 'of vind je het misschien goed als ik na al dat bier nog zelf rijd?'

'Waarheen dan?' vroeg ik en ik begreep het nog steeds niet.

'Naar de Slangenkuil natuurlijk, of is de wedstrijd al afgelopen?' Willie glimlachte. Hij liep naar de fiets. 'Kom, waar wachten we nog op?'

'Precies,' zei ik. Ik was nog steeds half verdoofd. Het leek wel of ík van Willie een klap op mijn kaak had gehad en niet andersom. 'M-maar, wat doen we als de andere terugkomt?'

'Welke andere?' vroeg Willie achterdochtig. Hij keek om. 'Is hier nog iemand, dan?'

'Nee,' zei ik. 'Ik bedoel jou, Willie, eh... Ik bedoel de leugenaar, de lafaard, weet je wel. Ik bedoel degene die jou steeds bier geeft.'

'O die,' zei Willie en toen schoot hij in de lach. 'Nou eh... als die terugkomt, vlieg je hem naar zijn strot.'

Hij trok de fiets van de grond en keek me grijnzend aan.

'Maar niet steeds op dezelfde plek, alsjeblieft!'

'Oké, ik zal het proberen!' grinnikte ik.

Ik sprong op het zadel. Ik begon te trappen en toen reden we over de weg langs de rivier terug.

'Harder!" riep Willie. 'Hup, Marc, tandje bij!'

En toen spreidde hij zijn armen. En hij huilde als een wolf in de nacht.

'Oehoeoeoeh,' huilde hij. En nog een keer: 'Oehoeoeoeh! De zomer is van de allerwildsten!'

Het grote duel

Maar toen we bij de Slangenkuil kwamen, verstomde Willies wolvengehuil. Hij werd ernstig, dood- en doodernstig. En toen hij de touwladder zag, keek hij me nog ernstiger aan en zei: 'Kranige kraaienpoten! Dat kan ik niet. Dat lukt me nooit, Marc. Je weet het, mijn knie.'

Ik knikte. 'Je knie, ik snap het. Ik kan je maar beter terugbrengen. Het kratje bier staat nog bij het eeuwige vuur.'

Ik stak mijn vuist op.

'Ho ho! Wat moet dat?' vroeg Willie.

'O,' deed ik schijnheilig. 'Wees maar niet bang. De vuist slaat pas toe als er iemand terugkomt. Je weet toch over wie ik het heb, Willie? Over je laffe kant. Dus, schiet op! Ik geef je drie minuten. Dan ben je boven. Want dan hebben we nog vijf minuten om ons op de tweede helft voor te bereiden.'

Ik stak mijn vuist nog hoger in de lucht en dat werkte. Krijsende kanaries! Willie wierp me een blik toe als een stervende grootmoederslang die haar kleinkinderen vertelt hoe het was toen ze voor het eerst een rat doodbeet. Maar toen klom hij braaf de touwladder op.

Boven was hij weer de oude. Nee, hij was zelfs nog méér. Hij was zo trots, dat hij bijna weer huilde als een wolf. Maar toen hij Ciska zag hield hij zich in. En hij werd heel cool! Waanzinnig cool! Hij riep ons bij elkaar.

'Hé,' fluisterde hij zoals hij al zo veel wedstrijden had

gedaan. 'Hé, kom eens! Leg jullie armen over elkaars schouders. We maken een kring. Ja *wij*, horen jullie me? Ik zeg *wij*. Niet *ik* en niet *jij*. Ik zeg niet: "Wat heeft *hij* nou gedaan?" Nee, ik praat over *wij*. Want we zijn weer een team. We hebben de Onoverwinnelijke Winnaars verslagen. We hebben Rocco bij de Wilde Bende gehaald. We waren niet bang voor Vanessa en Vanessa was ook niet bang voor ons. We hebben ons op de Steppe gewaagd en Joeri uit de Graffiti-torens bevrijd. We hebben Max zijn stem teruggegeven en Fabi zijn beste vriend. We zijn Stadskampioen Zaalvoetbal geworden. En ook nog kampioen in de achtste dimensie. We hebben de angst voor zoenen overwonnen en Jojo naar zijn moeder gebracht. We hebben de Lancelot-proef gehaald. We hebben tweehonderd kilometer door Nederland gefietst. En nu zullen we ons ook door dit avontuur heen slaan. Allemachtig, mensen! Wat willen jullie nog horen? Het gaat hier om datgene wat jullie het liefste doen. Om de mooiste sport die er op de hele wereld bestaat. Het gaat hier om voetbal! En het gaat erom dat jullie als team, als vrienden, als de Wilde Voetbalbende het veld op gaan.'

Willie keek ons een voor een aan.

'En dat kan niemand jullie meer afnemen. Of jullie nou winnen of verliezen. Kom op, waar wachten jullie nog op?'

En met die woorden brak onze kring open. De kerkklok sloeg één uur. De gifgroene bal viel uit de lucht en Annika schoot hem naar voren. Ze schoot hem recht voor de voeten van Deniz. De locomotief speelde links in de voorhoede. Hij werd door Sara en drie knock-out bundels belaagd. Maar voor die hem konden raken, sprong hij door een van de hindernisbanden, dook onder een droogmolen door en schoot de bal keihard naar rechts. Yvette, het eenmans-middenveld van de Beesten, sprong in het niets. Vanessa kwam aan de bal. Ze schoot hem met een keiharde stoomhamer half-volley naar het doel van Anna 'Queen' Khan. Die vloog al naar rechts om het schot te houden, maar nog voor de bal in het strafschopgebied kwam, maakte Rocco een sprong. Hij viste de bal met zijn linkerwreef uit de lucht en schoot hem met een copacabaanse ik-schiet-uit-de-heup-pirouette in de linkerhoek van het doel.

Anna 'Queen' Khan schreeuwde van schrik. 'Néé,' riep ze. 'Dat is onmogelijk!'

Daar sprong Fli-Fla weet ik veel waarvandaan, en ze schoot de bal terug in het veld.

'Stinkende apenscheten!' zuchtte Fabi teleurgesteld en Leon liet zijn vuisten zakken. Die had hij net opgestoken.

Net als ik! Dampende duivelsdrollen! Maar nu klapte ik in mijn handen. Ik zag de verwarring bij de Beesten. 'Kom!' riep ik. 'Ga zo door. Dit is onze kans.'

En daarin had ik – krijsende kraaien! – nog gelijk ook. We hadden de Beestige Beesten totaal overdonderd. Zelfs hun trainster hapte naar lucht. Op zo veel kracht had ze niet meer gerekend. We waren letterlijk ontploft. En terwijl ze bewonderend naar Willie keek, kwam onze tweede aanval op het Beestige doel af.

Vanessa speelde naar Rocco, en die verloor geen seconde. Hij gebruikte de schotten van de hindernis voor een dubbelpass. Hij dribbelde zo goed dat Aysha en Lara-Moon er duizelig van werden. Yvette versperde hem de weg, maar dat liet hem koud. Hij schopte de bal met zijn hiel terug en Annika, die daar stond, lepelde het leer tussen twee Beestige Beesten door in de torpedo-locomotief-duikvlucht-kopbalbaan van onze Turk. Hij zette iedereen op het verkeerde been met een kopstoot naar rechtsbeneden en liet de bal toen toch gewoon over zijn hoofd wegglijden. De bal vloog daarom verder naar links. Hij tolde over Anna heen. En omdat Anna door Deniz op het verkeerde been was gezet, kon ze alleen maar toekijken hoe de fladderende en tuimelende bal in de linkerbovenhoek terechtkwam.

Deniz hield de bal constant in het oog. Hij vloog door de lucht. Hij gleed over de grond. Hij vloog omhoog tegen de kromming van de Slangenkuil en pas toen de bal in het doel schoot, stak hij zijn armen hoog boven zijn hoofd.

'JAAAA!' schreeuwde hij. 'JAAAAA! We hebben het gered! We hebben de panterdochter bedwongen!'

Hij draaide zich om. Hij straalde en lachte en toen gleed hij op zijn kont de helling van de bol weer af.

Ik liep hem tegemoet. Ik zakte op mijn knieën en we omhelsden elkaar toen hij naar me toe kwam glijden.

'Bij alle vlie-hiegende oosterse tapijten!' jubelde Deniz. 'Is dit niet super-aladinmatig fantastisch?' En toen gooiden alle leden van de Wilde Bende zich op ons.

Anna 'Queen' Khan kookte van woede en had me het liefst gelyncht. Mij, haar tegenstander in de strijd om de titel: de wildste keeper. Ze kon me wel lynchen omdat ik gezien had hoe Deniz met zijn fantastische torpedoduikvlucht- en kruinkopbal met effect een einde had gemaakt aan haar tegendoelpuntvrije tijd van tweeëntwintig wedstrijden.

Maar dat was de fout die alle Beesten nu maakten. Ze namen de gelijkmaker persoonlijk. Ze speelden slordig. Ze waren geen team. Ze kwamen bijna niet meer uit hun eigen strafschopgebied. En wij, wij bombardeerden hun doel tot Anna 'Queen' Khan bont en blauw was van alle ballen die ze tegen moest houden. Pruttelende heksenketels! Ik zeg je één ding en dat doe ik niet graag. Anna was goed. Shit, nee! Ze was beter. Ze was misschien zelfs beter dan ik. Tenminste nu, op dit moment en de volgende tweeënhalf uur ook. Stel je voor. We vielen non-stop aan. We speelden powerplay. De Slangenkuil was nu van ons. Hij werd een soort Duivelspot, het domein van de Wilde Voetbalbende. De doelschoppen daverden Anna om haar oren, maar de dochter van de panter hield echt alles.

Ze hield ook de onhoudbare ballen. Niet te geloven. En ten slotte vergat ik dat ze mijn tegenstandster was. Ik was gefascineerd. Ik keek naar haar, hoe ze boven zichzelf uit groeide en uiteindelijk hadden we allemaal hetzelfde gevoel. Alle Wilde Bendeleden klapten voor Anna 'Queen' Khan, de grote vakvrouw. En zo bleef het met 1-1 onbeslist tot de eerste straal van de zon door het luik in het oosten van de oude watertoren viel.

De zonnestraal viel op een reflector en die produceerde stroom. De stroom voor de oude sirene. En die begon nu te loeien. Oorverdovend en zenuwslopend! Onze hoofden ontploften bijna, zo onverdraaglijk gilde het ding.

En daarbovenuit klonk nog de blèrende stem van Cisca die door de megafoon schreeuwde: 'Zo! Dat was het. De gewone speeltijd is om. We hebben nog een kleine vijf minuten voor het revolverheldenduel.'

Ze liep naar de hendels en touwen. Ze klapte alle hindernissen terug in de bodem. Ze stopte de zwaaiende touwen met daaraan de natte bundels vodden. Ze zette de schijnwerpers uit en toen liepen de twee doelen krijsend en vonkensproeiend op rolletjes langs de wand naar beneden tot ze, amper elf meter van elkaar af, eindelijk bleven staan. Maar de sirene loeide nog steeds en daarbovenuit schreeuwde Cisca's megafoonstem.

'De revolverhelden,' schreeuwde ze, 'zijn onze keepers. Marc de onbedwingbare en Anna 'Queen' Khan. Jullie krijgen allebei een bal. Jullie gaan met de ruggen tegen elkaar staan. Jullie wachten tot de sirene verstomt. Dat is jullie teken. Dan beginnen jullie. Jullie gaan terug naar je eigen doellijn. Daar, en echt pas daar, draaien jullie je om en je schiet de bal die je in je handen hebt naar het doel van de ander. Begrepen?' Toen stuurde ze Fli-Fla en Sara erheen, en die richtten ze midden tussen de doelen.

'Marc en Anna!' riep Ciska. Ze stapte met twee ballen in het licht van de schijnwerpers.

De dochter van de panter en ik keken rond. We zochten de blikken van onze vrienden en trainer. We verwachtten een paar bemoedigende woorden, een klap op de schouder, een laatste aanmoedigende blik. Maar in plaats daarvan bleef de sirene gillen en iedereen wilde alleen maar dat alles vlug voorbij zou zijn.

Toen keek Anna naar mij en ik, ik knikte naar haar. Ik haalde diep adem en toen liepen we naar de wachtende Ciska.

We namen de ballen aan. Anna de gifgroene en ik de inktzwarte. En toen gingen we met de ruggen tegen elkaar in het schitterende licht staan.

'Het gaat beginnen!' schreeuwde Cisca. En ze liet ons allebei alleen.

Ik dacht aan Josje. Het leek al eeuwen geleden. We braken net op in het bos. Toen vroeg hij: 'En wat doet een revolverheld als hij verliest?'

'Niets,' had ik geantwoord. 'Niets. Hij kan niets meer doen, want dan is hij dood.'

En precies dat zou Anna en mij, de Beestige Beesten en de Wilde Voetbalbende overkomen. Daarna zouden we dood zijn. We zouden niet meer bestaan, want de Vrolijke Monsters, de Onoverwinnelijke Winnaars, de Vuurvreters of de Skaters zouden geen seconde aarzelen en onze plaats innemen.

Dat dacht ik telkens weer. Mij gedachten draaiden rond tot ik er duizelig van werd. Ze werden nog luider dan de sirene en ik drukte mijn handen vast op de bal. Ik deed dat omdat ik mijn vingers niet in mijn oren kon stoppen, want dat was mijn enige wens: oren dicht en slapen. Shit! Eindelijk slapen!

Toen was het opeens heel stil.

De sirene was verstomd en trok alle geluiden mee in het Niets. Het enige wat ik nog hoorde was mijn eigen ademhaling. Mijn hartslag en... de stappen van Anna 'Queen' Khan.

Dampende duivelsdrollen! Ik had me verslapen! Ik had de wekker in mijn droom ingebouwd en daarom had ik hem eerst helemaal niet gehoord. Maar nu liep ik weg. Ik liep en ik rende. Ik probeerde te redden wat er nog te redden viel en kwam bij mijn doel. Ik draaide me om. Ik zag hoe Anna al schoot en toen schoot ik zelf. Ik schoot al in de sprong. Ik vloog al naar rechts. Ik vloog richting de hoek waar Anna op richtte. Ik rekte en strekte me en schreeuwde van schrik en woede toen ik mijn bal zag. Die vloog recht op de man af. Anna 'Queen' Khan zou hem moeiteloos vangen. Ik was aan het einde alles kwijtgeraakt. Want haar bal paste goed in de hoek. Toen schreeuwde ik nog eens. Ik schreeuwde zo hard ik kon. Ik schreeuwde en ik strekte mijn linkerarm uit. Hij ging bijna uit de kom. Mijn vingers krabden langs het leer van de bal. Hij veranderde iets van richting. Mijn vingertoppen sloegen de bal tegen de paal en van daar sprong het leer, alsof ik Raban heette, Raban de biljartdoelpuntspecialist, tegen mijn hoofd, toen terug tegen de paal, weer tegen mijn hoofd en terug in het veld.

Cisca floot af en het klonk als muziek: als een fanfare op een riddertoernooi. Ik hoorde hoe het gejuich van mijn vrienden zich vermengde met dat van de fanfare en toen, toen sprongen ze al allemaal boven op me...

De Elfenheuvel van Borgharen

De rest van de dag sliepen we. Dat waren we in elk geval van plan. We sliepen naast het eeuwige vuur op de wei aan de Maas en de zon scheen op onze buiken. We snurkten tevreden, lieten af en toe een scheet en van tijd tot tijd peuterde er iemand in zijn neus. Maar wie had daar last van? Ik bedoel, behalve Annika en Vanessa, maar die sliepen ook.

Opeens kreeg ik een emmer ijskoud water in mijn gezicht. Ik schrok me rot en zat meteen rechtop.

She-Man! schoot het door mijn hoofd. Haar wraak voor de kauwgumboeien-bloedzuiger-kuur! Ik hapte naar lucht. Ik hoorde het gonzen van Orka's lievelingsspeeltje. Ik zag het blikkeren van de vleesspiesvingers van Hazenlip. Ik voelde de adem van Bulldog en Sjang-haai. De Siamese kogelstootsters Hamer en Bijter grepen naar me met hun wieldophanden! Heksenscheet en duivelsboer! Dit was om te huilen! Hadden die sukkels nog niet genoeg? Moesten ze mij nou nóg een keer kwellen?

Toen trok de volgende plens water mij uit mijn nachtmerrie. Hij trof me recht in mijn opengetrokken mond.

'Het zijn de Beesten!' schreeuwde Josje geschrokken.

Ik spuugde en slikte en toen zag ik het ook. De Beestige Beesten renden ons voorbij. Ze renden met hun emmers naar de rivier. Daar vulden ze ze met water en ze kwamen met hun ijskoude lading weer terug. Zoals Anna 'Queen'

Khan, de dochter van de panter. Zij kwam regelrecht op mij af.

'Ho! Ho!' protesteerde ik. 'Waag het niet! Als je dat doet...'

'...dan worden jullie eindelijk een beetje schoon,' maakte Anna mijn zin af. En ze kiepte de emmer over me heen.

'Jullie zijn vies en jullie stinken,' zei Fli-Fla en ze veranderde Raban en Josje in twee kletsnatte poedels.

'Jullie stinken als een paar wrattenzwijnen met diarree,' grijnsde Lizzie. 'Jullie hebben je al een week niet meer gewassen!' Ze schudde haar emmer water over Leon en Fabi heen.

Die hapten naar lucht. Ze keken elkaar aan. Hun ogen fonkelden boos en ze balden hun vuisten toen Kissie en Lara-Moon nog twee emmers water over ons heen gooiden.

'Fabi!' fluisterde Leon.

'Ja?'

'Ik tel tot drie!' zei de slalomkampioen zachtjes. Toen riep hij: 'Hebben jullie het allemaal gehoord?'

Hij keek om zich heen en knikte tevreden. We waren er natuurlijk allemaal klaar voor.

'Eén!' telde hij dreigend.

'Twéé!' zei hij.

'Drie!' riep hij blazend.

En toen schreeuwden wij: 'RAAAA!'

We sprongen op. We pakten de Beesten. We sleurden de tegenstribbelende meiden naar de rivier en daar gooiden we ze allemaal in het water.

Alle heksenketels! Dat was prachtig! Maar nu kookten de Beesten over. Ze stonden bijna in de fik van woede.

'Wees wild!' siste Lizzie.

En de anderen fluisterden terug: 'Nee! Wilder dan wild!'

'Wees woest en beestig!' riep het meisje dat uit de heup schiet.

'Zo beestig als beesten!' riepen de anderen. Ze sisten hun 'KSSSS!' Ze stormden naar de oever. Ze pakten ons en even later woedde er de wildste waterslag in onze geschiedenis, en in die van de Beesten. Snap je het? We waren vrienden geworden. We respecteerden elkaar nu. De strijd was voorbij. En omdat dat zo was, nodigden de meiden ons uit in hun burcht. In hun clubhuis, in hun vesting. Ze nodigden ons uit om samen feest te vieren. En wij namen de uitnodiging aan.

's Middags gingen we op pad. We verlieten de wei aan de rivier en gingen naar de opa van Marlon en Leon. Hij zag er nu heel anders uit, gewoon als een echte opa. Hij had een grijsgroene ribbroek aan en een geruit houthakkershemd, en hij was druk bezig in zijn tuin. Maar toen hij ons zag, viel de heggenschaar van schrik uit zijn handen en kwam die terecht op zijn plastic sandalen.

'Au!' riep hij. 'Wat doen jullie hier, jongens?'

Op één been sprong hij rond. Met zijn handen hield hij zijn zere grote teen vast. Toen bleef hij met zijn goede voet haken in een hark. Die lag daar zomaar. Heel gevaarlijk. Opa struikelde en viel met zijn achterwerk in de kruiwagen. Die begon te rijden. Hij rolde naar de composthoop, sloeg om en opa lag in de aardappelschillen.

'Het moet niet veel gekker worden!' mopperde hij. 'Zo vind ik het wel weer genoeg. Elke keer dat ik jullie zie, zitten jullie in de puree!'

'O,' grijnsde Marlon. Hij trok zijn opa uit de hopen bladeren, gras en aardappelschillen. 'Het spijt me, opa. Maar daarom zijn we ook hier.'

Opa keek hem aan. 'Nee, hè,' bromde hij en hij liep weg.

'Ja,' riep Marlon. 'Daarom zijn we hier, opa. Om je te bedanken dat je ons dan altijd helpt.'

'Het moet niet veel gekker worden,' zei opa opnieuw. Hij struikelde bijna van schrik. Hij voelde in zijn hals en trok een dertig centimeter lange regenworm uit de kraag van zijn houthakkershemd. 'Weg met jou, jij woont daar!' mopperde hij. En hij gooide de regenworm terug op de composthoop. 'Dit heerschap achtervolgt me nu al weken,' zei hij tegen ons. 'Elke keer als ik in de composthoop val, springt hij in mijn nek!'

We begrepen er niets van, maar dat vond opa geen punt. Hij stapte op zijn doorzichtige plastic sandalen kordaat weg. Wij liepen achter hem aan.

'Hé, hoe hebben jullie gespeeld?' bromde hij. 'Ik hoop dat jullie die Beesten verslagen hebben. Ik hoop dat jullie ze naar de maan hebben geschoten en daarna regelrecht de hel in!'

Hij deed nog drie stappen en toen hij nog steeds geen antwoord kreeg, draaide hij zich naar ons om.

'Ho, wacht eens even! Zeg nou niet dat jullie van die meiden verloren hebben!' Hij keek ons vol verwachting aan.

Leon schudde zijn hoofd. 'Nee, opa. We hebben niet verloren. We hebben gelijkgespeeld.'

'O,' zei opa met een zucht.

'En die meiden zijn geen gewone meiden!' legde Leon uit. 'Die meiden zijn...'

'Ja?' vroeg opa. Hij was nu niet alleen vol verwachting. Hij was ook sceptisch en argwanend.

'Die meiden zijn het wildste elftal waar we ooit tegen gespeeld hebben.'

'O!' zuchtte opa. 'Oei-oei!' Hij krabde op zijn voorhoofd. 'Oei-oei,' kreunde hij nog eens. 'Dan is het dus nog steeds niet afgelopen. Dan gaat de hele bedoening gewoon door. Oei-oei! Dan begint het eigenlijk pas.'

'Hoezo?' vroeg Marlon. Maar zijn opa maakte een afwijzend gebaar.

'O,' zei hij. 'Ik heb helemaal niets gezegd. Ik ben je opa maar, jongen. Maar als jullie het mij vragen, zou ik maar wat warms aantrekken.'

'Waarom?' vroegen Leon en Marlon tegelijk. 'Gillende krokodillen! We begrijpen er geen steek van.'

'Jullie worden volwassen,' bromde opa. 'Of jullie het willen of niet. Jullie avonturen zullen groot worden en volwassen. En wat jullie hier meemaken, is nog maar het begin daarvan.'

'Hottentottennachtmerrienacht!' fluisterde Raban. En de opa van Leon en Marlon gaf hem gelijk.

'Precies,' knikte hij. 'Daarmee sla je de spijker op zijn kop, geloof ik.' Hij keek ons onderzoekend aan. 'En nu weg met jullie,' mopperde hij. 'Ik denk niet dat jullie hier zijn om met mij een feestje te bouwen.' Hij grijnsde. 'Hup! Wegwezen!' riep hij en hij draaide zich om. Hij struikelde over twee bloempotten, stapte op de hark die erachter lag en de houten stok sloeg tegen zijn hoofd.

'Gillende, gloeiende... wat was het ook weer?' riep de onhandige oude man. Als de deur van het schuurtje in de tuin niet op een kier had gestaan, en als we door de kier niet de robotrups hadden gezien en de jas en de brommerhelm, hadden we hem voor geen cent geloofd.

Maar zo was het een waarschuwing van Rinus de mijn-werker. De man die alleen maar als dekmantel met heggen-scharen, harken en regenwormen in de weer was. De man die zich voordeed als een onhandige sukkel, alleen om zijn vijanden voor de gek te houden. De man die in het echt over de mijngangen van de oude kolenmijn – en weet ik wat nog meer – heerste. En een waarschuwing van zo'n man sla je niet in de wind. Nee! Dampende duivelsdrollen!

Maar we waren uitgenodigd op de Elfenheuvel. En daar vergaten we alles.

We werden door Fli-Fla ontvangen. Zij liep voorop. We zig-zagden langs bospaadjes en door het dichtste kreupelhout. We vochten ons door prikkende doornstruiken. We stapten over dikke boomwortels heen, kropen door een smalle tun-nel en toen stonden we plotseling en zonder waarschuwing op een open plek van licht.

Brandende fakkels staken in de grond. Lampions waaiden aan de takken van de bomen. Kaarsen brandden op kisten en tafels. Die tafels stonden vol met de lekkerste dingen. Alles waar wij met onze verschrikkelijke honger naar verlangden. Nadat iedereen een plaatsje had gevonden, gaf Cisca eindelijk het startsein voor de eetpartij. Onze magen knorden van blijd-schap.

Bij de reusachtige duivelsdraken! Wat we aten? Spinazie-
balletjes in tomatensaus. Macaroni met gorgonzola en zure
room. Pannenkoeken lagen te bakken in reusachtige pannen
en sprongen vrijwillig op onze borden. Daarna was er choco-
ladetaart met gebakken winegums en bij alles dronken we
lekker koude cola.

En op een of ander moment begonnen we te vertellen. We
hadden zo veel meegemaakt. Maar het leukste was het verhaal van Joeri over het sparrenbos met de grote gezichten. We
lagen dubbel toen hij de dansjes voordeed waarmee hij de eerste katapultlift vond. We lachten nog harder toen de anderen
hun dansjes deden en al snel hádden we het niet meer. We
konden geen pap meer zeggen en we hadden buikpijn van het
lachen. Toen vertelde Raban het verhaal van onze gevangen-
schap bij de Vrolijke Monsters. Hij nam Fli-Fla bij de hand en
samen met haar deed hij voor ons nog eens de wedstrijd na
van Britney Spears tegen Christina Aguilera, gezongen door

She-Man en Orka. Onze lachspieren scheurden bijna. Maar we bleven lachen tot we geen geluid meer voortbrachten. En toen trokken we ons in onze hangmatten terug. Daarin zweefden we tussen de bomen. De lampions waaiden zachtjes in de wind. De rook van de fakkels kringelde door de boomtakken. En tussen de bladeren zagen we de sterren stralen.

Ik lag daar en dacht alleen maar: *Wat is dit prachtig.* En ik keek naar Cisca en Willie. Die twee zaten nog lang bij elkaar. Ze praatten en praatten en ze lachten nog steeds. En daarbij keken ze elkaar soms lang aan, zonder iets te zeggen. Ik moest denken aan de waarschuwing van Rinus: 'Jullie worden volwassen. Of jullie het willen of niet. Jullie avonturen zullen groot worden en volwassen. En wat jullie hier meemaken, is nog maar het begin daarvan.'

Toen sliep ik. We sliepen allemaal tot laat in de ochtend.

We ontbeten met de Beestige Beesten. We ruimden samen de verlichting op en toen bonden we alle spullen op onze bagagedragers.

Tegen twee uur kwamen we bij de wei aan de rivier. Daar namen we afscheid van de Beesten.

'Oké,' mompelde Lizzie. 'Dat was het dan, toch?'

Leon knikte. 'Dat was het.'

We keken elkaar aan, vooral Cisca en Willie. Ze luisterden helemaal niet meer, zeg ik je. Anna keek mij aan en ik, tja, eh... ik, ik staarde naar mijn voeten. Toen werden we allemaal door de slalomkampioen gered.

'Dat was het,' zei hij grijnzend, 'en dat spijt me. Ik bedoel, jullie hebben niet gewonnen! En omdat dat zo is, blijven we vanaf nu voor altijd het wildste voetbalelftal ter wereld.'

'Hé, wacht eens even!' snoven Lizzie en Kissie. 'Het was toch gelijksp...'

'Nee.' Leon schudde vastbesloten zijn hoofd. 'Jullie hebben ons uitgedaagd en de uitdagende partij moet altijd winnen. Dat is gewoon zo. En daarom zijn en blijven jullie nummer twee...'

'Ho! Ho! Ho!' sputterden de Beesten.

Maar Leon viel hen in de rede. 'Nee,' zei hij. 'Jullie hebben nog één kans. Jullie komen naar Amsterdam! Zullen we zeggen over tien dagen? En dan spelen we een tegenwedstrijd in de Duivelspot.' Hij keek Lizzie en co. aan en grijnsde naar hen. 'Ik bedoel, als jullie tenminste denken dat je ons aankunt, en ook genoeg lef hebben.'

Met deze woorden sprong hij op de fiets.

'Alles is cool!' riep hij en we reden achter hem aan.

'Zolang je maar wild bent!' riepen we allemaal.

'En de zomer is voor de allerwildsten!' Dat was het antwoord van de Beestige Beesten, maar ze maakten ons helemaal niet bang.

Willie begon opeens vrolijk te zingen. Hij vond het blijkbaar een heel goed idee. En wij? Wij juichten allemaal van blijdschap en zo begonnen we aan de terugtocht naar Amsterdam.

De Wilde Voetbalbende
stelt zich voor

Leon de slalomkampioen, topscorer en de jongen-van-de-flitsende-voorzetten
Centrumspits

Leon is de aanvoerder van de Wilde Bende. Hij maakt doelpunten zoals ooit Johan Cruijff deed. Of hij geeft adembenemende voorzetten. Specialiteit: omhalen. Hij is voor niets en niemand bang en wil altijd maar één ding: winnen. Maar zijn trouw aan de Wilde Bende en in het bijzonder aan zijn beste vriend Fabi is nog groter dan zijn wil om te winnen.

Fabi de snelste rechtsbuiten ter wereld
Rechtsbuiten

Hij is Leons beste vriend. Samen vormen ze de Gouden Tweeling. Fabi is de doelpuntenmachine van de Wilde Voetbalbende

V.W. en de wildste van allemaal. Werkt zich door zijn sluwheid nooit in de nesten. Voor elk probleem bedenkt hij een oplossing. Zijn onweerstaanbare glimlach beschermt hem daarbij steeds tegen straffen of andere gevolgen. Maar in tegenstelling tot Leon interesseert Fabi zich ook voor andere dingen. Hij heeft zelfs al belangstelling voor meisjes. Niemand weet hoe lang hij nog bij de Wilde Bende blijft.

Marlon de nummer 10, de spelverdeler met inzicht

Spelverdeler

Marlon is Leons broer. Hij is een jaar ouder dan Leon. Leon heeft een hekel aan hem. Maar voor het elftal is hij het hart, de ziel en de intuïtie. Marlon speelt zo onopvallend alsof hij een jas draagt die hem onzichtbaar maakt. Maar ondertussen overziet hij alles. Het lijkt of zijn hoofd als een satelliet boven het veld cirkelt. Ook buiten het speelveld is er niemand die zijn vrienden beter aanvoelt dan hij.

Raban de held

Reserve-topscorer

Raban voetbalt als een blinde die fotograaf wil worden. Hij heeft nog niet eens een verkeerd been. Want wie een verkeerd been heeft, moet ook een goed been hebben. In onze loods voetbalt hij op zijn best. De bal raakt soms meer dan vijf keer een muur en stuitert dan toevallig in het doel. Ondanks dat is Raban een van de belangrijkste leden van het team. Ook al draagt hij een bril met jampotglazen. En ook al worden zijn vuurrode krullen vaak door drie meisjes misvormd met krulspelden. Die meisjes zijn de dochters van vriendinnen van zijn moeder. Raban noemt hen 'de drie roze monsters'. Overigens: zijn vriendschap en trouw zijn onovertroffen.

Felix de wervelwind

Linksbuiten

Felix is de perfecte linksbuiten. Hij speelt zijn tegenstanders duizelig. Maar als Felix astma heeft, is hij nergens. Dat denkt hij tenminste. Tot hij in de wedstrijd tegen Ajax zijn angst en ziekte overwint. Hij verandert de Wilde Voetbalbende in een echt voetbalteam. Een team met shirts, een prachtig logo, een reglement en echte spelerscontracten. Daardoor stijgt hij zelfs hoog in de achting van João Ribaldo, een Braziliaanse voetbalheld van Ajax.

Rocco de tovenaar
Aanvallende middenvelder

Rocco is absoluut cool. Hij tovert de bal overal heen waar hij hem maar hebben wil. Hij is de zoon van een Braziliaanse voetbalheld van Ajax. Hoewel Rocco al bijna even goed speelt als zijn vader, wil hij zelf alleen maar spelen bij de Wilde Voetbalbende V.W. Rocco is Marlons beste vriend en hij is erg bijgelovig. Hij gelooft nog in spoken en heksen.

Jojo die met de zon danst
Linksbuiten

Jojo woont door de week in een opvanghuis voor kinderen, omdat zijn moeder geen werk heeft. Dat komt waarschijnlijk omdat ze vaak te veel drinkt. Jojo heeft niet eens voetbalschoenen. Zelfs in de winter speelt hij op kapotte sandalen. Maar hij is een goede linksbuiten voor het team. En een vriend die ze nooit zouden willen missen.

Marc de onbedwingbare
Keeper

Marc is het tegenovergestelde van Jojo. Hij woont in een reusachtig huis met bedienden. Zijn vader is rijk. Marc is in het doel een natuurtalent. Iedereen die tegen hem scoort, krijgt een vermelding in het *Guinness Book of Records*. Maar als Marc naar de training wil, moet hij stiekem het huis uit sluipen. Zijn vader haat voetbal en wil dat hij later profgolfer wordt.

Joeri 'Huckleberry' Fort Knox, het eenmans-middenveld
Laatste man

Joeri is zo'n goede verdediger dat zijn tegenstanders denken dat ze met víér in plaats van één persoon te maken hebben. Verder leeft hij net zo geheimzinnig als Huckleberry Finn. In zijn achtertuin heeft hij Camelot gebouwd, helemaal zelf. Camelot heeft drie verdiepingen en is de ontmoetingsplaats en boomburcht van de Voetbalbende.

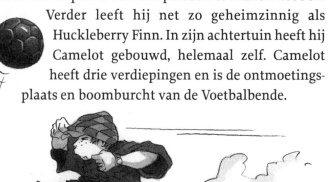

Josje het geheime wapen
Allerlaatste man
Josje is Joeri's broertje. Hij is eigenlijk nog te klein voor het team. Maar samen met Sokke, de hond, is hij vaak de troefkaart, het geheime wapen. Hij raakt de bal maar zelden. En dat is dan vooral als hij hem in de laatste milliseconde van de doellijn grist.

Vanessa de onverschrokkene
Middenvelder
Vanessa is het wildste meisje aan deze kant van het Donkere Bos. Ze loopt zelfs op school in voetbalkleren. Haar schoten op het doel zijn vooral onhoudbaar als ze haar roze pumps aanheeft. Ze wil de eerste vrouw zijn die in Oranje speelt. Na haar verhuizing van Maastricht naar Amsterdam heeft ze haar plaats bij de Wilde Voetbalbende moeten bevechten. Ze zou bij geen ander team willen spelen. Zolang de Wilde Voetbalbende bestaat, moet het nationale elftal nog op haar wachten.

Max 'Punter' van Maurik, de man met het hardste schot ter wereld

Verdedigende middenvelder

Max praat niet. Zelfs op school of aan de telefoon zegt hij geen woord. Hij práát niet, maar dóét. Hij bezit het Drievoudige M.S.: het Mega-Machtig-Monster-Schot. Voor Max is voetballen alles. Behalve als er problemen met zijn vrienden zijn. Dan offert hij zijn vrijheid op en neemt een wekenlang huisarrest en voetbalverbod op de koop toe. Dan verbreekt hij zelfs zijn zwijgen.

Deniz de locomotief

Spits, bestrijkt de hele voorhoede

Deniz is de Turk in het team. Elke dag reist hij met bus en tram de hele stad door om te trainen bij zijn vrienden van de Wilde Voetbalbende. Bij hen heeft hij ontdekt dat hij een bril nodig heeft, dat hij er niet alleen voor staat en dat vrienden belangrijker zijn dan een persoonlijke overwinning.

Annika de drakenrijdster

Annika wilde eigenlijk helemaal niet bij de Wilde Voetbalbende. Rocco moest zijn uiterste best doen om haar over te halen.

Annika is het eerste meisje dat de heksenspreidsprong met drie ballen tegelijk beheerst. Ze danst ballet. Ze leert thaisboksen. En ze heeft een mountainbike met een dubbel achterwiel en turboblaster-vliegwielaandrijving. Maar verder weten de leden van de Wilde Bende eigenlijk helemaal niets van haar. Wacht even! Ze weten wel dat Annika op Rocco verliefd is, dat haar ouders vliegangst hebben en dat Annika één ding absoluut niet kan, en dat is vloeken.

Willie, de beste trainer ter wereld
Trainer
Willie woont in een caravan achter zijn stalletje in de Duivelspot. Hij wilde zelf ooit profvoetballer worden. Maar door een zware blessure aan zijn knie (de schuld van Dikke Michiels vader) moest hij stoppen met voetballen. Nu traint hij de Wilde Voetbalbende. Hij is de beste en meest bijzondere trainer ter wereld. Daarom heeft hij voor de Wilde Bende het sportveldje omgebouwd tot de Duivelspot. Het stadion van de Wilde Voetbalbende V.W. is de grootste heksenketel aller heksenketels. En de Duivelspot heeft een echte lichtinstallatie van bouwlampen.

Willies *gang,* de Fantastische Vier

Hadsjie ben Hadsjie ben Hadsjie ben Hadsjie is fruithandelaar en geheime uitvinder. Eerst kende de Wilde Bende hem alleen maar als fruitkoopman. Raban knalde namelijk elke keer op zijn 12-inch-mountainbike met het tractorachterwiel tegen de fruitkraam van Hadsjie ben Hadsjie aan. Maar precies onder die fruitkraam zit de ingang naar Hadsjies geheime uitvinderswerkplaats waarin hij al die fantastische dingen voor de Wilde Bende gebouwd heeft: de lichtinstallatie van bouwlampen, de wapens waarmee ze Dikke Michiel overwonnen in de strijd om Camelot, Josjes raketracefiets en alle gekke dingen waarmee ze Jojo bevrijdden uit handen van de stinkend rijke familie aan de Amstel.

Edouard, de pinguïn, is de butler van Marcs ouders, maar hij stond altijd al aan de kant van de kinderen. Al bij hun eerste grote wedstrijd tegen Dikke Michiel, en ook bij hun tweede wedstrijd tegen Ajax, stond hij ze in het geheim bij. Edouard kookt fantastisch en als hij daarbij zijn schort met kantjes draagt, ziet de anders zo strenge en stijve ik-heb-een-bezemsteel-ingeslikt-butler eruit als Mary Poppins met een kale knar.

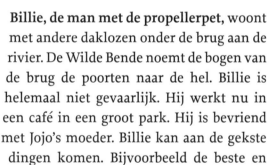

Billie, de man met de propellerpet, woont met andere daklozen onder de brug aan de rivier. De Wilde Bende noemt de bogen van de brug de poorten naar de hel. Billie is helemaal niet gevaarlijk. Hij werkt nu in een café in een groot park. Hij is bevriend met Jojo's moeder. Billie kan aan de gekste dingen komen. Bijvoorbeeld de beste en nieuwste voetbalschoenen. En hij weet de weg in heel Nederland. Want toen hij jong was heeft Billie veel gezworven. Hij reisde kriskras door het land en kent daarom alle geheime schuilplaatsen.

Andere tegenspelers van de Wilde Voetbalbende

Gonzo Gonzales, de bleke vampier, is de aanvoerder van de Vuurvreters, de skatergroep
uit het internaat dat de Wilde Bende eerbiedig de Nevelburcht noemt. Gonzo
wilde de Wilde Bende aanvallen. Hij gold
als onoverwinnelijk, tot de Wilde Bende
zijn geheim ontdekte: het geheim van de
heks Staraja Riba. Gonzo geloofde in haar.
Zij gaf hem al zijn kracht. Maar juist de
kleinste van de Bende, Josje, profiteerde
daarvan en overwon de coole skater. Sindsdien staat Gonzo bij de Wilde Bende in het
krijt. Maar dat geldt natuurlijk alleen
maar zolang ze het wildste voetbalelftal van de hele wereld blijven.

Dikke Michiel was, tot Gonzo opdook, de Darth
Vader van onze wereld. En ook nu nog is hij de aanvoerder
van de Onoverwinnelijke Winnaars: de aanvoerder van
etters als de Inktvis, de Zeis, de Maaimachine, de Stoomwals,
Frans met de varkensoogjes en de machtige Kong. Dikke
Michiel regeert nog steeds in de Graffiti-torens. Dat zijn drie
flatgebouwen die ooit aan de andere kant van het Donkere

Bos op de Steppe zijn gebouwd. Hij werd een vriend van de Wilde Bende omdat hij steeds maar werd overwonnen. Maar dat kan elke dag veranderen. Dikke Michiel wacht op zijn kans om zich op de Wilde Bende te wreken.

De Vette Neef is een neef van Dikke Michiel en in vergelijking met hem lijkt Dikke Michiel opeens zo dun als spaghetti. Maar de Vette Neef is niet alleen veel dikker, hij is ook ouder, gemener en achterbakser dan Dikke Michiel. Hij is een echte roverhoofdman. Zijn rijk begint achter de Graffititorens en de Sterrenregenwal. Daar in de zwarte woestenij huist en verstopt de echte roverhoofdman zich met zijn echte rovers in een echt roversnest.

Joachim Masannek werd in 1960 geboren. Hij studeerde Duits en filosofie en daarna studeerde hij aan de Hogeschool voor Film en Televisie. Hij werkte als cameraman en schreef draaiboeken voor films en tv-programma's. En hij is trainer van de échte Wilde Voetbalbende, en vader van voetballers Leon en Marlon.

Jan Birck werd geboren in 1963. Hij is illustrator, striptekenaar en artdirector voor reclame, animatiefilms en cd-roms. Met zijn vrouw Mumi en hun voetballende zoons Timo en Finn woont hij afwisselend in München (Duitsland) en Florida (Verenigde Staten).

Lees ook de andere boeken over de Wilde Voetbalbende:

Zeven vrienden wachten op het mooie weer dat het nieuwe voetbalseizoen inluidt. Voetbal is voor hen minstens even belangrijk als leven. Maar de sneeuw is amper gesmolten, of hun voetbalveldje is al in beslag genomen door Dikke Michiel en zijn gang. Dat laten de vrienden natuurlijk niet zomaar gebeuren! Ze dagen Dikke Michiel uit: wie de wedstrijd wint, krijgt het veldje. Maar hoe kunnen ze ooit winnen van die griezels, die veel groter, sterker én gemener zijn...?

ISBN 978 90 216 1909 5

Er komt een nieuwe jongen op school: Rocco, de zoon van een Braziliaanse profvoetballer. Eerst vindt Felix hem arrogant, maar Rocco is goed én hij wil per se bij de Wilde Voetbalbende. Rocco's vader vindt het maar niks. Zijn zoon bij een ordinair straatelftal! Hij moet bij een échte club spelen.

Dat kan geregeld worden: de Wilde Bende zorgt voor officiële clubshirtjes en traint nog harder dan anders. Dan dagen ze het jeugdteam van Ajax uit voor een duel. Rocco is een van hun tegenstanders...

ISBN 978 90 216 1919 4

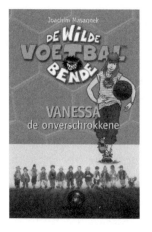

Vanessa is helemaal voetbalgek. Ze draagt altijd voetbalkleren, en ze wil de eerste vrouw in het Nederlands elftal worden. Met haar meisjes-voetbalclub gaat dat natuurlijk nóóit lukken! Haar vader meldt haar aan bij de Wilde Bende. Maar de jongens zijn op zijn zachtst ge-zegd niet zo erg blij met een meisje in hun team. Ze spelen Vanessa nooit de bal toe, maken zulke scher-pe passes dat zij die wel moet laten gaan. Ze vernederen haar. Vooral Leon moet niks van haar hebben. Maar Vanessa geeft niet op: ze móét en ze zal laten zien dat ze goed genoeg is om bij de Wilde Bende te spelen!

ISBN 978 90 216 1929 3

Na de vakantie wacht de Wilde Voetbalbende een grote verrassing: hun veldje is omgetoverd in een echt stadion, compleet met schijn-werpers! Joeri wil niets liever dan dit grote nieuws aan zijn vader ver-tellen. Alleen woont zijn vader niet meer thuis, en Joeri weet niet waar hij nu is. Terwijl hij in de stad naar zijn vader op zoek is, valt Joeri in handen van Dikke Michiel en zijn gang, de aartsvijanden van de Wilde Bende...

ISBN 978 90 216 1690 2

Deniz voetbalt in een ander elftal, maar hij zou dolgraag bij de Wilde Voetbalbende spelen en nodigt zichzelf uit voor een proeftraining. Dat hij talent heeft, is overduidelijk, maar toch wijzen Fabian en Leon hem af. De Turkse Deniz zou niet in hun elftal passen. De andere jongens zijn hier woedend over. Ze willen Deniz per se bij hun club, zelfs als dat betekent dat Fabian en Leon opstappen. Wat nu?

ISBN 978 90 216 1700 8

Raban voelt zich in de Wilde Voetbalbende het vijfde wiel aan de wagen. Hij is bang dat de anderen hem niet meer bij hun team willen hebben. Trainer Willie raadt hem aan om in de kerstnacht het grote voetbalorakel te raadplegen. Zo gezegd, zo gedaan: midden in de nacht sluipt Raban naar het stadion...

ISBN 978 90 216 1950 7

Max is de man met het hardste schot van de wereld. Als hij de bal op de punt van zijn schoen neemt, kan geen keeper hem houden. Maar wanneer hij dat plotseling niet meer kan, raken de leden van de Wilde Voetbalbende in paniek. En wat misschien nog wel erger is: Max lijkt ook zijn tong verloren te zijn. Hij zegt geen woord meer. Shock-therapie is de enige mogelijkheid, en zijn vrienden organiseren de griezeligste spooknacht aller tijden...

ISBN 978 90 216 1960 6

Wauw! Tijdens het Stadskampioen-schap zaalvoetbal wordt Fabi ont-dekt door een talentscout en ge-vraagd voor het jeugdteam van Ajax. Fabi heeft hier altijd van gedroomd, dus neemt hij het aanbod aan. De leden van de Wilde Voetbalbende begrijpen Fabi niet en vinden hem een verrader. Hij wordt uit het team gezet. Uitgerekend in de finale moet de Wilde Voetbalbende tegen Ajax spelen...

ISBN 978 90 216 2171 5

Uitgerekend Josje, de kleinste van de Wilde Voetbalbende, krijgt het aan de stok met de Vuurvreters. Die gevreesde skatergroep eist de alleenheerschappij over de stad op. Ze pikken – vlak voor een belangrijke wedstrijd – de gitzwarte shirts van de Wilde Bende! Ten slotte belegeren de Vuurvreters zelfs de Duivelspot. Het is duidelijk: met de Vuurvreters moet eens en voor altijd worden afgerekend! Dan heeft Willie een plan. En alleen Josje, het geheime wapen, kan de Wilde Bende redden...

ISBN 978 90 216 2181 4

De Wilde Voetbalbende dingt mee naar het Stadskampioenschap Zaalvoetbal en kan zich ook nog plaatsen voor het Jeugd wk! Dan krijgt Marlon een ernstig ongeluk tijdens het karten. Het is de schuld van Rocco, zijn beste vriend. Marlon mag zes weken niet meer voetballen. Hij trekt zich van iedereen terug en praat niet meer tegen Rocco. Maar die heeft hem juist nodig, want zijn vader, de Braziliaanse profvoetballer João Ribaldo, wordt misschien verkocht aan een buitenlandse club. Dat zou betekenen dat Rocco moet verhuizen...

ISBN 978 90 216 2251 4

Een week voor de kwalificatiewedstrijd voor het Jeugd WK gaat Jojo bij een ander gezin wonen. In Jojo's nieuwe gezin lijkt het elke dag wel Sinterklaas en zijn verjaardag tegelijk. Daardoor vergeet hij de Wilde bende! Als hij eindelijk merkt hoe belangrijk zijn elftal voor hem is, is het te laat om terug te keren. Van zijn nieuwe ouders mag Jojo geen contact hebben met de Wilde bende, en de prachtige villa wordt een gouden kooi voor hem. Maar zijn vrienden bedenken een plan om hem te bevrijden en jojo moet beslissen waar hij echt thuishoort...

ISBN 978 90 216 2261 3

Op een dag traint een vreemd meisje in haar eentje in de Duivelspot. De jongens raken geboeid door haar spel. Tot hun verrassing duikt deze Annika als toeschouwer op bij de wedstrijd om het kampioenschap van de E-junioren. Rocco vraagt Annika zelfs of ze bij de Wilde Voetbalbende wil komen spelen. Maar het eigenzinnige meisje slaat dit fenomenale aanbod af. De leden van de Wilde Bende staan perplex en besluiten wraak te nemen voor deze nederlaag!

ISBN 978 90 216 2271 2